Blankets

Una novela gráfica de

CRAIG THOMPSON

ASTIBERRI

Blankets:
1. Manta
2. Manto, cubierta. Una capa continua
que oculta lo que está debajo. Un manto de nieve.
3. Una ley o norma que afecta a un grupo en
particular y no permite excepciones.

Blankets

Traducción: Raúl Sastre
Diseño y maquetación: Manuel Bartual
Rotulación: Estudio Fénix

Depósito legal: Z.1320-04
ISBN: 84-95825-63-5

Filma e imprime: Edelvives

Astiberri Ediciones SL.
e-mail: astiberri@astiberri.com
web: www.astiberri.com

Contenidos:

A mi familia,
con amor

I

El cuarto oscuro

Cuando éramos niños, mi hermano pequeño
Phil y yo compartíamos la misma cama.

"COMPARTÍAMOS" es una manera suave de decir que estábamos ATRAPADOS en la misma cama, ya que éramos niños y no teníamos poder de decisión sobre el asunto.

Podría ir flotando en un BOTE SALVAVIDAS y traer a nuestros amigos.
ZZZZ

No te hagas el dormido, tonto.
No me lo hago. *ZZZZZZ*

Eh, que te estás QUEDANDO toda la manta.

Y también tienes más sitio que yo.
¡ZZZZ!

¡Dame la MANTA!
zzzz

¡VALE!
¡AAAH!

CLUNK

¡Serás Idiota!

THUMP THUMP THUMP
AY Es papá...
¡...y está subiendo las escaleras!

¡¿QUÉ PASA AQUÍ?!

¡Es que Phil me ha tirado de la cama!
¡Es que Craig se estaba QUEDANDO toda la manta!
¡Es que Phil no me dejaba dormir!

¿Es que no podéis DORMIR TRANQUILOS? ¡Parecía que se hubiera CAÍDO el edificio!

¿Por qué tenemos que dormir juntos?
Sí, ¿por qué?

¡NO CONTES-TÉIS A VUESTROS PADRES!

Es que me FASTIDIA. Nunca me deja dormir, habla, me pellizca y se mea en la cama.
¡Y él SIEMPRE es malo conmigo!

Muy bien. ¿Así que no queréis dormir juntos esta noche?

Tú puedes dormir aquí...

... y tú puedes dormir...
... en el CUARTO OSCURO.

AY

EL CUARTO OSCURO era la habitación que no se utilizaba en nuestra casa.

Escondida tras un panel de madera en el cuarto donde jugábamos,

Allí estaba, siniestramente oculta, esta franja de espacio con astillas, tablas del suelo podridas...

SHUK

... y su apenas respirable atmósfera de polvo en suspensión.

Sin aislar, sin luz, y deshabitado, excepto por arañas y alimañas (a las que oíamos pasearse por el interior de las paredes por las noches) y unas pocas cajas de cartón llenas de polvo,

Lo MEJOR era no pensar en el CUARTO OSCURO.

SNAP
¡Será mejor que te pongas cómodo!
¡NO *AY* NO!
¡NO Papá NO!
SHUK
nonono nonono nonono no

por favor.
no...

Yo era a quien debían haber encerrado en el cuarto oscuro aquella noche...

...por ser un hermano mayor patético.
Lee
No cumplía con mi papel protector en las situaciones peligrosas.

Otras veces, cuando Phil necesitaba un compañero de juegos, yo exigía que me dejara solo.

Pero quizá lo peor de todo es que le amenazaba constantemente con mis desalentadores descubrimientos sobre el "mundo real", como si los tres años que le llevaba me convirtieran en un experto.

Espera a que llegues a TERCERO.
Entonces tendrás que hacer DEBERES y no tendrás ningún amigo en el colegio...

... En realidad, es probable que te SACUDAN todos los días.

¿Y tú por qué eres tan DELGADO?
¡Parece un ETÍOPE!

-OOOH-
No le toquéis. ¡Podríais coger una enfermedad!

¡APÁRTATE! ¡No queremos tu enfermedad!

oooof

¿Sabes?... No sólo te odiamos a ti.
Sino a toda tu familia.

Tu padre parece MEJICANO. Es tan pobre que no os puede dar de comer,
ja ja SUDACA
SU-DACA

y tu madre es tan RELIGIOSA que pone a todo el mudo ENFERMO,

y tu HERMANO...

¡... tu hermano pequeño con ese pelo revuelto y esa voz de idiota debe de ser SUBNORMAL!
Ja ja ja SUBNOR-MAL

OOOOH
AHORA quiere pelea.

Lo sentimos.
Pero no peleamos con BEBÉS.

Eh... ¡MIRAD, chicas!
¡SOLTADME!

Tenemos un bebé.
hee hee
hee
he
he
UESS

DUÉRMETE NIÑO,

DUÉRMETE YA,

QUE VIENE EL COCO
¡THOMPSON SÍ QUE ES UN COCO!

Y TE COMERÁ

DUÉRMETE NIÑO, DUÉRMETE YA,

QUE VIENE EL COCO...

...¡Y TE LLEVARÁ!

CLUNK

¡JA!
¡JA! ¡JA! ¡JA!
¡JA! ¡JA! ¡JA! ¡JA! ¡JA!
¡JA! ¡JA!

ROLL
ROLL ROLL
frus
frus

CREEK

¿Por qué llegas tarde a clase, Craig?

...

READ
Lo siento.

"LO SIENTO" no es una excusa.
Siéntate.

Estábamos a punto de hablar sobre tu imaginativa redacción.

Tienes una "S".
Una "S" de SUSPENSO, no de simpático.

¿Te parece GRACIOSO, Craig?

Un poema de ocho páginas sobre gente comiendo...

... excrementos.

JA je je je je je JA JA je
je je JAJA je JA JA
GUESS?

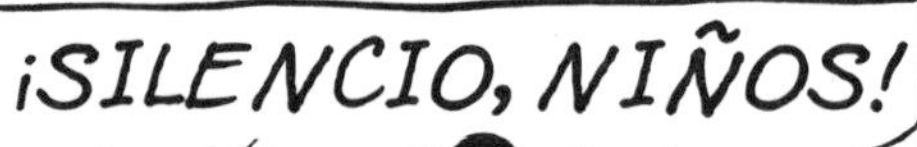
¡SILENCIO, NIÑOS!

¡Esto es una OBSCENIDAD!
CRUMP

Conozco a tu madre y sé que es una buena CRISTIANA a la que esto va a REPUGNAR.
Aa Bb Cc Dd
Ii Jj Kk

Si Dios pudiera perdonarme por todas las veces que he imaginado a gente comiéndose sus propios excrementos.

LORD IS MY SHEPHERD
Ya llevan un rato. Debe de ser realmente bueno.
JA JA JA
je je
Es un BUEN CHISTE, ¿ver-dad?
eh, sí... je je
¡AHORA YO!
¡AHORA YO!

SÍ. Te toca a TÍ... pero antes tenemos que ir a la otra habitación.
Debe de ser REALMENTE bueno, ¿eh?
Lee

Me gustaría charlar contigo en privado después de clase, Craig.
Y por amor de Dios, no llores. Ya no eres un bebé.
DING DING DING DING
DING DING DING DING DING

DING DING DING DING DING DING DING
DING DING DING DING DING
MARATHON ELEMENTARY
Barbie

DING DING DING DING

¡ES EL BEBÉ!
B.U.M.

Seguro que tienes ganas de llegar a casa para meterte en tu cuna.
¡Y así podrás chuparle LAS TETAS A TU MADRE!
Y podrás jugar con tu sonajero mientras...

...¡escribes una nueva redacción!
B.U.M.

¡Eh!

ja
ja
ja
ja

Eh, Thompson, que se te va el autobús.

SCHOOL BUS
7

7

CHKUNK!

Lo siento.

M
FORD
M

Vivíamos en el campo y nuestra casa era la última parada dentro de la ruta del autobús.

¿Qué has hecho en el colegio hoy?

Nada, la verdad.
Ha sido un aburrimiento sin más.

*El señor es mi pastor

De niño, creía que la vida era el mundo más horrible en el que uno podía vivir, y que TENÍA que existir algo mejor.

Todas las noches planeaba mi fuga.

Lo hacía como es debido pero sin convicción:
Cogiendo de extranjis algunos tentempiés del armario de la cocina,
REAL WISCONSIN cheese champs CRACKERS
Víveres.
Llenando mi mochila de ropa,
Un par de calzoncillos en caso de que se ensucie uno...

y fingiendo un interés fortuito en la geografía mientras consultaba el atlas de mis padres.
¿A cuánto está California?
WAUSAU HERALD
GINSENG

A veinticinco centímetros.

Pero incluso entonces, sabía que no podría realizar mi sueño,
CLUNK

que el MUNDO REAL sólo podía traer consigo nuevas amenazas,

y que debía estar AGRADECIDO por la seguridad de la que disfrutaba.

PHIL

Y de todas formas, había descubierto vías de escape mucho más sencillas.
Eh, Craig.
Intento dormir.
Intentaba soñar.

Mi otro vehículo de escape era DIBUJAR, en el cual mi hermano me acompañaba al volante.

Él no parecía compartir mi enfoque ESCAPISTA, pero dibujaba como una manera de compartir el tiempo conmigo, de CONECTAR conmigo.

Y LA VERDAD es que cuando dibujábamos juntos, a menudo en la misma página, me sentía conectado a Phil.

Nos pasábamos EL DÍA ENTERO dibujando, actividad que se entremezclaba con momentos en que echábamos a correr agotando nuestra energía.
Estos son los únicos momentos que puedo recordar de mi infancia en los que fui CONSCIENTE, en los que sentí, que la vida era sagrada o que merecía la pena.

NO PASAR
PROPIEDAD PRIVADA.
SE DISPARARÁ A LOS TRANSGRESORES.

Por aquí.
Es el único sitio por el que podemos pasar.

¡Oh vaya! ¡Mira ahí!

¡CHICOS!
¡Venga! ¡Es hora de dormir!

¡Mira lo que hemos encontrado!
No metáis eso en casa. Estará lleno de gérmenes.
Oh, pero...
Ponlos al lado de los hierbajos.
¿Podemos jugar un poco más?
¡Es fin de semana!
Lo sé, pero tenéis que levantaros pronto para ir a MISA.
COMMUNITY BIBLE CHURCH

SUNDAY SCHOOL
GRADE
3
La vida que tenemos no es siempre justa.
La gente que te importa puede ponerse enferma y tú puedes sufrir...

... como Douglas que se rompió la clavícula.
Apuesto que no fue algo agradable ¿verdad, Douglas?
...
CRAK
No.

Nuestros cuerpos NO SON PARA SIEMPRE. Eso quiere decir que pueden sufrir, como la clavícula de Douglas... y pueden morir.
Todos vamos a morir.

Da miedo, ¿verdad?

SÍ.
SÍ.

Pero no tiene que dar miedo si eres CRISTIANO y has dejado a JESÚS entrar en tu corazón; porque cuando mueras, irás al CIELO.
EL CIELO es un lugar perfecto donde NO HAY DOLOR y todo el mundo está en paz con los demás.
EL CIELO es donde Dios quiere que estemos, ¡y es ETERNO!

Si ésta
es nuestra
vida en la
Tierra...
chik

... entonces
ésta es nuestra
vida en el Cielo.
eee

¡uuups!
HA HA
JA JA JA

Y este trazo de tiza seguiría
-incluso fuera del estado de Wisconsin-
¡y no acabaría NUNCA!
ESO quiere
decir... PARA
SIEMPRE.

Comparadas con la ETERNIDAD,
nuestras vidas en la Tierra son sólo un
pequeño sueño en el que caemos...

... y del que
DESPERTAMOS
enseguida.
Z

En ese momento, sabía lo que quería...
Quería el Cielo.

Crecí esforzándome por encontrar ese mundo...
... un mundo ETERNO...
... que borrara mi desdicha TERRENAL.

¡Ja Ja MARIQUITA!
Ja Ja
¡BONITO PELO!
¡Pareces una PUTA nenaza!
Este mundo no es mi morada; sólo estoy de paso.
Trapp
er

Sr. Thompson, SÉ que hubiera DESTACADO en esta clase si hubiera aplicado un ÁPICE de esfuerzo, pero me parece que no se puede tomar sus estudios en serio y si piensa que su falta de motivación
¿Qué importa si conquisto el mundo entero, pero pierdo mi alma?

COMMUNITY
BIBLE
CHURCH

Hola, Craig.
Hola, Pastor. Gracias por el sermón.

El colegio ha empezado otra vez, ¿no?
Desgraciadamente.

Ja ja ja, ¿Así que este es tu último año?
Sí.

Bueno, ¿tienes alguna idea de lo que vas a hacer cuando acabes el instituto?

¿Se refiere a una carrera o algo así? Eh... no... hum, me dejaré llevar por las circunstancias, creo.

¿Has pensado en
servir a Dios?

eh...

Quiero hacer lo
que Dios quiere
que haga.

Creo que
Dios quiere que
te pongas a su
servicio.

Me di cuenta de que me había dedicado a medias a mi fe y que algo me había estado distrayendo de mis Estudios de la Biblia.

En el campo, la gente quema su basura en incineradores improvisados; el nuestro era un barril de hierro plantado entre los gruesos hierbajos al lado del gallinero.
¿NO DEBERÍAMOS RECICLAR ALGO DE ESTO, PAPÁ?
¿POR QUÉ? ¿POR LA POLUCIÓN? ¿POR LA ESCASEZ DE RECURSOS? EL SEÑOR HABRÁ VUELTO PARA ENTONCES.

Quería quemar todo lo que había dibujado hasta entonces.

... Los proyectos de las clases de plástica y los cuadernos garabateados y un armario lleno de dibujos de mi infancia...
¡He malgastado el tiempo que me ha dado Dios en ESCAPAR!
¡EN SOÑAR, EN DIBUJAR...
...en las actividades TERRENALES más seculares y egoístas!
Actué como si ofreciera a Dios un sacrificio...

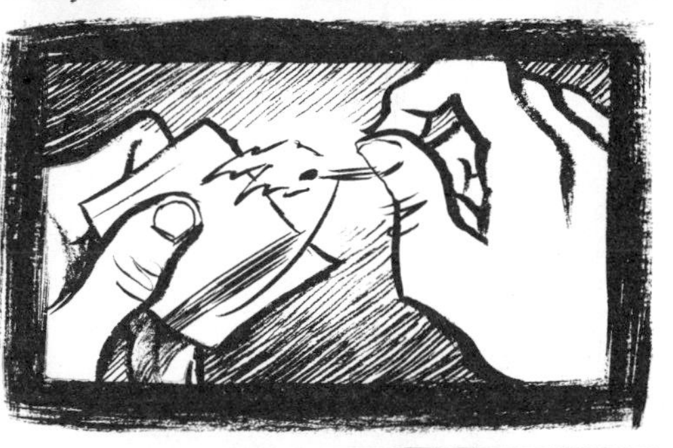

Quería quemar mis recuerdos.

Pero si no dejas entrar a Jesús en tu corazón, pasarás la eternidad en el INFIERNO.

Y el Infierno es lo contrario al Cielo. Es el peor sitio que jamás os podáis imaginar... donde te QUEMAS y padeces DOLOR constantemente...

Un dolor que te hace SUFRIR TANTO que la Biblia dice que NUNCA PARARÁN TUS GRITOS o el RECHINAR de tus dientes.

La OSCURIDAD es total...
... y a tu alrededor se oye el sonido de los demás gritando y GIMIENDO.

¡NO*ay* NO!

Pero lo peor de todo, es que no puedes encontrar a esa gente.
Estáis separados eternamente.
¡NO Papá NO!

KIDS OF THE KINGDOM
Y puedes OÍRLES...
NONONO NONONONO NONONO
SHUK

... pero no puedes HABLAR con ellos...

por favor, Papá.

... o COMUNICARTE...

Papá, seré bueno.

...o CONSOLAROS unos a otros en el dolor.

¡AAARGH!
¡ESTOY CUBIERTO DE ARAÑAS!

¡Y si no te CALLAS, mañana a la noche vuelves ahí!

Ahora ya tienes la cama para ti solo; ¿Estás contento?

THUMP
THUMP
THUMP
THUMP
THUMP

click

snif
Padre nuestro..

II

Un cálido ronroneo

Vivíamos en una vieja granja con un problema de calefacción y refrigeración.

Durante el verano nuestros padres nos prohibían abrir las ventanas durante el día,

¡Porque NUNCA nos dejan encender el ventilador!
Lo sé. Pero por qué.

Porque se necesita mucha electricidad para... ¡QUÍTAME ESA MANTA DE ENCIMA!

¿Cuánta electricidad se necesita? Yo se la pago.
flump

No tienes dinero suficiente para pagarles.
Sí tengo. COGIENDO ROCAS gano un dólar a la hora.

Cuesta MUCHO MÁS que un par de dólares encender el ventilador durante una noche.

ahora déjame dormir.

¡DEBE DE HACER
100 GRADOS!
grr

flip

¿Por qué le sigues dando vueltas a la almohada?
Porque está más fresca por el otro lado.

No puedo dormir.
Yo NUNCA puedo por tu culpa.

grr

¡Ya sé lo que podemos hacer!
¡Pasarnos escupitajos por los brazos y la cara para que parezca que estamos sudando MOGOLLÓN!

sptk *sptk*
Entonces quizá *sptk* Mamá y Papá nos dejen encender el ventilador.

sptk

Tengo la boca demasiado seca como para escupir.

sptk *sptk*

¡Ahí va!
¡EH! ¡EH! ¡EH!

¿Mamá? ¿Papá? ¿Podemos encender el ventilador? Estamos sudando MOGOLLÓN.

Bueno, parece que están empapados...
WAUSAU

El invierno era peor, nuestra habitación se volvía INSOPORTABLEMENTE FRÍA.

clac
clac
clac

Qué FRÍO
Ya lo sé.

Mira...

La manta se ha pegado a la pared por el frío.
¡NO LA ROMPAS!

¿Por qué no funciona este chisme?

Abajo a lo lejos puedo oír un zumbido.

Pero nunca parece que salga calor.
Volvamos a la cama.

¡Aaaay! Está más fría que antes.
Eso es porque hemos dejado que el calor de nuestros cuerpos se vaya.
Intentemos correr para poder hacer calor de nuevo.
¡Menéate!
¡Te apuesto a que te gano!
¡No es justo! ¡LLEVAS VENTAJA!
JA JA JA
Fuera de la casa no teníamos ningún frío. El invierno era nuestro patio de recreo.

Y lo mejor del invierno...
(aparte del hecho de que la nieve amortiguaba las caídas.)
JA JA JA
... eran las vacaciones de Navidad.

El verano de un chico del campo se consume en el trabajo agrícola...
... sólo un poco mejor que el colegio...
(COGIENDO ROCAS: FIG. 17)

sin embargo las Navidades traían consigo casi TRES semanas de libertad.

Un respiro perfecto...
... si no fuera por el "CAMPAMENTO ECLESIÁSTICO".

Durante un semana, nuestra libertad se veía interrumpida con la excusa de compartir actividades lúdicas "basadas en Cristo" con otros jóvenes cristianos.
IGLESIA BAUTISTA DE LATRINIDAD

¿Esta vez vas a esquiar, Craig?
eh... no.

¿POR QUÉ? ¿Es porque te da miedo...
...o porque tus padres son demasiado pobres como para pagar el pase?

JA JA JA JA JA JA JA JA JA JA JA JA JA JA JA
POBRE
BULL
Columbia

Había algo en el hecho de ser marginado en el CAMPAMENTO ECLESIÁSTICO que hacía que fuera mucho peor que en la escuela.

En la escuela "normal", yo me veía a mí mismo como una víctima de la CRUELDAD DEL MUNDO. Sospechaba que Dios me recompensaría algún día por soportar las penurias del día a día.
BIBLIA MONTE TABOR
MATRÍCU
DAY PASS 20
WEEK 75
X-COUNTRY 40
25
ESQUÍA POR JESÚS
$ 20 pase
JESÚS
MOLA

Pero el campamento eclesiástico era "TIERRA SAGRADA", y parecía que los chicos populares eran BENDECIDOS por DIOS con dotes sociales y atléticas,

y que Dios, por alguna razón (y podía pensar en muchas), me observaba decepcionado.
B.U.M. EQUIPMENT
WWJD? EQUIPMENT

Columbia

Esa tía está coladita por ti, Paul.
jeje
¿Ya te lo has hecho con ella?
jua jua
¿Te lo...?

Algunas chicas llevan SUJETADORES este año.
Las domingas
¿Le has sobado TETAS?
¡Jua Jua!

HOSTIAS, Thompson. ¿Estás leyendo la BIBLIA?
¿Es que no nos obligan BASTANTE a leer esa cosa?

¡Eh tíos! ¡EL FLACUCHO está leyendo la Biblia!

¡DIOSS!
Sólo estaba ORGANIZANDO mis cosas.

Lo siento, Dios.

Bueno, Paul. ¿Le sobaste las tetas?
Mi polla es el doble de grande que la
ja ja

¡YA ESTÁ BIEN CHICOS... CALLAROS YA!

¡Hace una HORA que deberíais estar DORMIDOS!
Ya habrá tiempo de "COTORREAR" por la mañana.

¡Y ahora mostrad un poco de respeto por vuestros compañeros y DORMIROS!

SHUT

Menudo gilipollas.
A mí me lo vas a decir.
XTREME
XTREME

¡He dicho que os CALLÉIS!

Por la noche, la respiración de los demás compañeros
me privaba de la bendición escapista del sueño.
Z
Z
Z
Z
Z
Z
Z
Z
Z

creek
creek
Z

PINE

PINE

PINE

NEHEMIAH HA
REC ROOM · REFRESHMENT

CLOSED
ED
CLOSED
ED
CLOSED
click

CLUNG
CLUNG Shhhh

CLUNG
HUMMMMMMMM

HUMMMMMMMMMMMMMMMMMMMMM
Lo siento, Dios, por salir a escondidas de la cabaña y mentir y no leer la Biblia y no predicar tu palabra entre la gente y meterme con mi hermano pequeño y llamar a alguien "GILIPOLLAS" y dibujar a una señora sin ropa una vez y decepcionar a mis padres y todo lo demás.
sniff
Por favor, perdóname.

El campamento eclesiástico en la época del instituto se convirtió en algo menos solitario, ya que aprendí a localizar a los demás marginados.
BIBLIA MONTE TABOR
MATRÍCU
DAY PASS 35
WEEK 125
ESQUÍA POR JESÚS
$ 20 pase
JESÚS
MOLA

pfff Mira su pelo.
Parece una nenaza.

¡Tío, qué GANAS tengo de esquiar!

¡OH DIOS!
¡Me ENCANTA tu suéter!

hum... hola.
¿Alguno de vosotros va a hacer snowboard?

eh... no.
Es que nuestros PAPIS no nos han soltado la pasta para que podamos actuar en el campamento eclesiástico como niñatos pijos disfrazados a la última moda.

De hecho, vamos a hacer todo lo posible para evitar tantas "ACTIVIDADES" como podamos.

Bueno, pues me apunto de todo corazón a ESA "cruzada".

Mirad...

... ese grupo de tíos nos están mirando.
ESTÚPIDOS CACHITAS GILIPOLLAS.

De todas formas, ¿por qué estamos aquí parados?
Porque fuera hace FRÍO.

¡A LA MIER-DA!
¡Afuera!

¿Te viene...?
¿Cómo te llamas?
Craig.

¿Te vienes con nosotros, Craig?
Sí...

... pero primero tienes que decirme TU nombre.

Me llamo Raina.

¡A UN LADO que pasamos!
NIKE

Raina...
MT. TABOR ACTIVITIES SCHEDULE
X-TREME
NIKE
PETRA
columbia

... qué
nombre tan
BONITO.

Un copo
de nieve
aterrizó en
mi nariz...

...y se
derritió.

A lo que siguió
una nevada.

Eh, tíos.
Esos monitores
nos están
siguiendo.

Venga
ya.

Es porque a las chicas
no les dejan estar cerca
de las cabañas de
los chicos, y...
Joder
Ya, ya...
¡al bosque!

¡LOS PERDI-MOS!

Silencio, tíos...
Nos podría oír alguien.
fíu
¡Las cabañas de los chicos huelen de puñetera pena!
MT. TABOR BIBLE CAMP
¡Deberíais ver a los capullos con los que tengo que compartir este sitio!

Este tío de aquí tiene unas GREÑAS DE PALETO perfectas.

Corto por arriba. Mullido, con permanente y pelo largo por atrás.

(1) N.T.: Amy Grant es una cantante de rock cristiano.

No. Es un CAPULLO. Dijo que yo iba a ir al infierno.

Vamos, Van. Tranquilízate.
Sí. Toma la PIPA DE LA PAZ, Van.

SSSyok

¿No fumas?
eh... no.

¿Por qué? ¿Piensas que está MAL? O sea, ¿que es un PECADO?
No, qué va,
Es que no es para mí.

¿Qué es lo que tiene de malo según tú?

Bueno, yo...

¿Te da sueño? ¿Te vuelve PARANOICO?

No lo sé, es...

¿Acaso lo has PROBADO?

...No, pero... esto... muchos de mis amigos...

Si nunca lo has probado, ¿cómo sabes que no te va?

Cough coug
Cough

Raina, ¿estás BIEN?
Ah, vale. Evita mi puta pregunta.
cough

glup
sí.
JA JA Estoy BIEN.

Hum, esto... tengo que irme, he quedado con un amigo.
vale, claro...

Ha sido un placer conoceros.
Si hay algún monitor por ahí fuera, dínoslo.

¡Espera! ¿Te vas ya?
Sí, he... esto, he quedado con un amigo...

Hasta... ¿luego?

SLAM

Ay.

DONG

DONG
DONG

DONG
DONG
DONG

DONG

Cuando te pierdes o buscas a alguien que crees que se ha perdido, las AGLOMERACIONES de gente forman una corriente amenazadora que mina todos tus esfuerzos.

Pero bueno, en general, así es como me siento en todos los grupos...

... y el campamento eclesiástico despertó un nuevo tipo de ESCEPTICISMO sobre mi fe.

Sed todos bienvenidos.
¡Vosotros que venís del FRÍO...

...habéis de SABER que el que estéis aquí está noche es designio de Dios!

Somos tan numerosos como los copos de nieve, y aun así Dios tiene un plan previsto para cada uno de nosotros.

Hasta el más mínimo detalle.

Hablamos de DIOS. ¡Apártate HE-MAN, Jesús es el VERDADERO Master del Universo!

JAJA
JAJA

Para mí era prácticamente imposible ACEPTAR que un grupo de personas pudiera creer en lo mismo,

...unidos en CUERPO y MENTE, y aún menos unirse para lograr una meta común.

¡Vamos, ROCAN-ROLEEMOS por Jesús!

1
2
3

CHATATA
CHATA

CHATÁ
TATA
BOOM

WAIL
Lo que me atraía del Cristianismo era el concepto de un Salvador para CADA UNO,

el BUEN PASTOR desatendiendo al rebaño para buscar al cordero perdido y solitario...

...Y NO ESTA LOCURA COLECTIVA.
Eh, no estás cantando.
¡Venga!
LIVING WATERS
Yo no canto.
A Dios no le importa.
¡Venga!

Mi voz nunca se unió
a las del coro.

Our Daily Bread

OT WATE
HOT CO
M

HICAGO

POKE
HICAGO

CRAIG
RAINA

LO SIENTO:
LO SIENTO

Estaba tan pasada anoche.
Y siento, ya sabes, lo de Kie y Van.
Y yo mentí sobre lo de quedar con un amigo.

Se pasan con su rollo MACARRA pero creo que lo que tú haces es más valiente.
No vas de ESTOY POR ENCIMA DE VOSOTROS como el resto del campamento, pero tampoco tienes la necesidad de ir de otra cosa.

Tú luchas por algo.
¿Cómo qué? ¿Por ser MEDIOCRE?

No...
Así que, bueno, ¿anoche hiciste pira de misa con esos tíos?

Hice pira de misa,
pero no con ellos.

Fui en trineo,
yo sola.
¡Genial!

DISCULPA. No estarás intentando COLARTE, ¿verdad?
eh... no. NO voy a comer.

Venga. ¡Vamos fuera!
Pero, hum, el DESAYUNO es la comida más importante de...

¡Pero si aquí todo está SOSO!
didas

Friquis.

Vayamos al lago.

¡Sí! JA JA
uah. Resbala.

¿Te echo una mano?

¡¿Eh, chicos, adónde vais?!

Hum... ¿al lago?
NO, ESO SÍ QUE NO.

El lago está FUERA DE LOS LÍMITES salvo para el hockey y siempre cerca del campamento.
¿Por qué?

¡¿POR QUÉ?!
Sí. ¿Por qué?

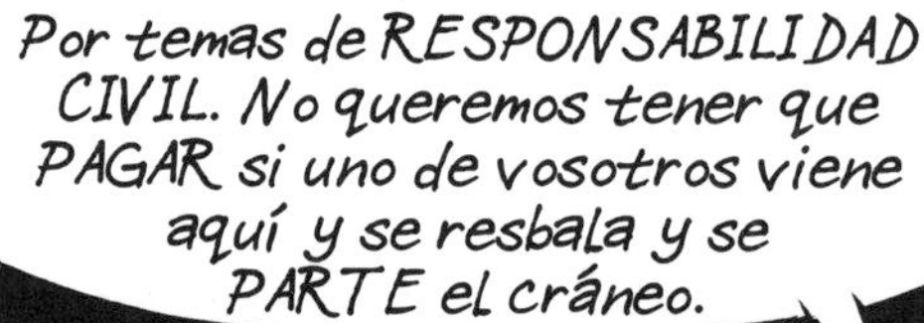
Por temas de RESPONSABILIDAD CIVIL. No queremos tener que PAGAR si uno de vosotros viene aquí y se resbala y se PARTE el cráneo.

Además, la misa es dentro de veinte minutos. DEBÉIS IR. ¿Por qué no váis a la SALA DE RECREO y jugáis al fúlbol hasta entonces?
Sí, al Fúmbol.

¿Está usted bien, señor?
slip
CRAK

FÚULBOL.
Sí.
Ahora iros del lago antes de que alguno de vosotros se ROMPA la crisma.
Ahora mismo, señor.

Tengo que ir al baño.
Vale. Te espero.

XTREN SPORT

Ya sabes, Jake. EL CAMPAMENTO ECLESIÁSTICO es el mejor sitio para FOLLAR.
A mí me lo vas a decir.
XTREME SPORTZ

Anoche estuve metiendo mano a esa rubia, ¿cómo se ...?
Cindy.
Sí, y tiene una 100 de sujetador. ¡Te lo juro!
ZIP

JA JA JA
je je

VERSUS

Perdona, pareces PERDIDO.
HOLY BLE

...
No, NO lo estoy.

vale.
Muy bien.
HOOP

pssst
eh
HOOPZ

¡Aquí estás!
SHHH
HOOPZ HOOPZ

¡Vaya! ¡El escondite perfecto!
Sí. Estoy bastante segura de que nadie sabe que estamos aquí.
Eh. Tíos os vais a meter en un follón.
Salvo Patrick.
No digas nada, Patrick. No nos descubras.
¿Así que vamos a hacer pira de misa?
Sí, yo voy a dormir.

¿A dormir?
¿Te parece bien?
Claro que sí. Pero usa el interior de mi abrigo como almohada. Es agradable y suave.
mmm... Gracias. Eres un chico tan dulce. Y tengo tanto sueño...
¡¡¡k!
JA JA
SLAM
¡ya es casi la hora!
Z
y entonces cuando estaba...
HOOPZ
sí
no te
CLUNK
¡mira esto!
yo sólo dije que
BGUN
DGU
ya sé que...
¡TANTO!
JA JA JA
¡Gano yo!
pásalo aquí
ding
ji ji
¡ven para acá
PAK

DONG
DONG
DONG
HORA DE MISA, CHICOS!
POK CLUNK
BANG
shuffle
SA
¿Venís o qué?
SLAM
shuffle
ZZZip
¿ha visto alguien mi abrigo? ¿ha visto alguien mi abrigo? ¿Qué hay de mi
parece que tendremos que dejar la partida para luego.
no puedo evitar tener razón
venga chicos. ¡Vamos!
shuffle
POK SCRAPE
shuffle
SLAM

¡HORA DE MISA!

zzz_*
¿qué pasa?
SHHH

¡VENGA SALID!
¿QUEDA ALGUIEN?
¿Algún rezagado?

SPEED

Supongo que no.

click

JA JA
Y "la CRUZADA" comienza...

De todas formas, los sermones del campamento son totalmente estúpidos e INSÍPIDOS.
Lo peor es cuando intentan que cantes esas canciones.
¿Quieres decir que tú tampoco cantas?
No puedo.
No tengo voz, y además me tomo la música muy en serio. Únicamente canto cuando estoy sola, y entonces es algo sagrado.
...
Necesitaba tocarla, pero dudaba.

Me gusta.
Su pelo era sedoso y se extendía a lo largo de su frente.
Lo alisé y lo puse detrás de su oreja.
Estaba relajada y aun así sus cejas dibujaban un gesto preocupado, formando un ceño permanentemente fruncido.
¿Qué le preocupaba?

La caldera de la sala de recreo se encendió.
CLANK
CLUNK
tic tic tic
Un par de torpes ruidos y entonces se convirtió en un zumbido relajante...
...un cálido ronroneo que envolvía la habitación.

Seguí pasando mi mano por su pelo... el pelo de Raina... no podía evitarlo.
Aquello hizo que se volviera a dormir.

III

Un manto blanco

Había un desafío en concreto
al que nos solíamos enfrentar
Phil y yo cada invierno.

Se trataba de caminar
POR ENCIMA de la nieve,
más que a TRAVÉS
de ella.

Era necesaria una nieve
bastante particular,
claro está... una cu-
bierta por una CAPA DE
HIELO... para realizar
dicha prueba.
crack

A finales del invierno, la
nieve de la superficie
se derretía y se volvía
a congelar, formando una
capa quebradiza sobre
la nieve de más abajo.

Era muy raro caminar
sobre ella porque no
te hundías como en la
nieve normal, y no te
mantenías como en el
hielo sólido.

Más bien, aguantaba
un pequeño instante,
y luego se HACÍA
PEDAZOS.
CRUNCH

Ahí estaba el reto...
... en descubrir lo lejos
que nos podíamos aventurar
en la nieve helada antes de
que se rompiera.

Teníamos que andar siempre con tanta cautela
como un gato
o como Jesús sobre las aguas

Phil creía que era una competición ENTRE nosotros.

En ese sentido, yo ganaba casi siempre...

...pero yo sabía que no competía con él, sino contra mí mismo... contra mi propia torpeza personal que había perdido su armonía con el mundo.

En ese sentido,
siempre perdía.

SUNDAY SCHOOL
GRADE
5
¿Tiene alguien alguna idea de lo que puede que hagamos en el Cielo?

RELAJARNOS, como en vacaciones.

Ir en motonieve.
El rugby.

Dibujar.

Oh, Craig... ¿DIBUJAR? ¿Durante toda la eternidad?
Es un lugar perfecto, ¿no? ¿No deberíamos hacer lo que nos GUSTA?

JAJA
Bueno, ES CIERTO que estaremos ocupados, ES CIERTO que disfrutaremos de nuestro trabajo, porque no nos CANSAREMOS o distraeremos como nos pasa en la tierra...

...¡pero nuestras NUEVAS VIDAS en el cielo estarán dedicadas a ALABAR Y ADORAR A DIOS!

Reverenciándole, cantando sus himnos, y PROCLAMANDO su nombre durante toda la ETERNIDAD
y amaremos cada INSTANTE que pasemos ahí, ¡porque Él todo lo ha hecho por nosotros!

Pero...
Yo no sé cantar.

¡En el Cielo, tendrás una voz BONITA!

Pero no me GUSTA cantar. ¿No podría alabar a Dios con mis DIBUJOS?
O sea, "VENGA, CRAIG." ¿Cómo puedes alabar a Dios con unos DIBUJOS?
OFFER
PACKE

Así que como iba diciendo, estaremos trabajando - NO RELAJÁNDONOS - pero nos encantará, y ...
...
¿Sí, Craig?

Dibujando Su CREACIÓN... como los árboles y cosas...

Pero, Craig... Ya lo ha dibujado por nosotros.

Hace demasiado frío como para haberse deshecho de toda su ropa, Sr. Árbol.

Así que lo de dibujar no vale...

De todas formas, ¿cómo podría vivir una vida tan egoístamente?

¿Así que eso es, Dios?
¿Me quieres a tu servicio?

¿Como pastor?

¿Como misionero?

¿Y si me dedicara a dibujar...
no sé...
tiras Cristianas...
para evangelizar a la gente?

PORQUE DIOS AMABA TANTO AL MUNDO...
¡...QUE DIO SU **ÚNICO** HIJO...
JESUS
...QUE QUIEN CREA EN ÉL NO MORIRÁ
...SINO QUE VIVIRÁ PARA SIEMPRE!
PUEDES REZAR CONMIGO...
DIOS, SÉ QUE SOY UN PECADOR...

ay

Raina fue la primera en escribir después del campamento eclesiástico.

Y su carta renovó mi fe en la idea de garabatear sobre un papel.

Sus palabras refleja-
ban soledad, cariño y
consuelo y pedían
una respuesta
a gritos.
NOSOTROS

Así,
hallé
a mi
musa.

WISC

IRON MAIDEN

Nuestras cartas eran un flirteo
- desde tímidas notas -
a paquetes perfumados repletos de flores y poemas, canciones de amor grabadas en cintas, y tiernas frases románticas de instituto.

Su escritura era de lo más reveladora, incluyendo las marcas de las palabras de cada página anterior.
(Debía de haber apretado fuerte el bolígrafo al escribir.)
Una seductora línea formaba un lazo en su "L".
Su "f" era una "l" que en vez de unirse a la siguiente letra, caía.

Probablemente, no me creeréis...
... si os digo que ésta fue la ÚNICA vez que me masturbé en mi último año de instituto.
Pero tal es el poder que da la fe.

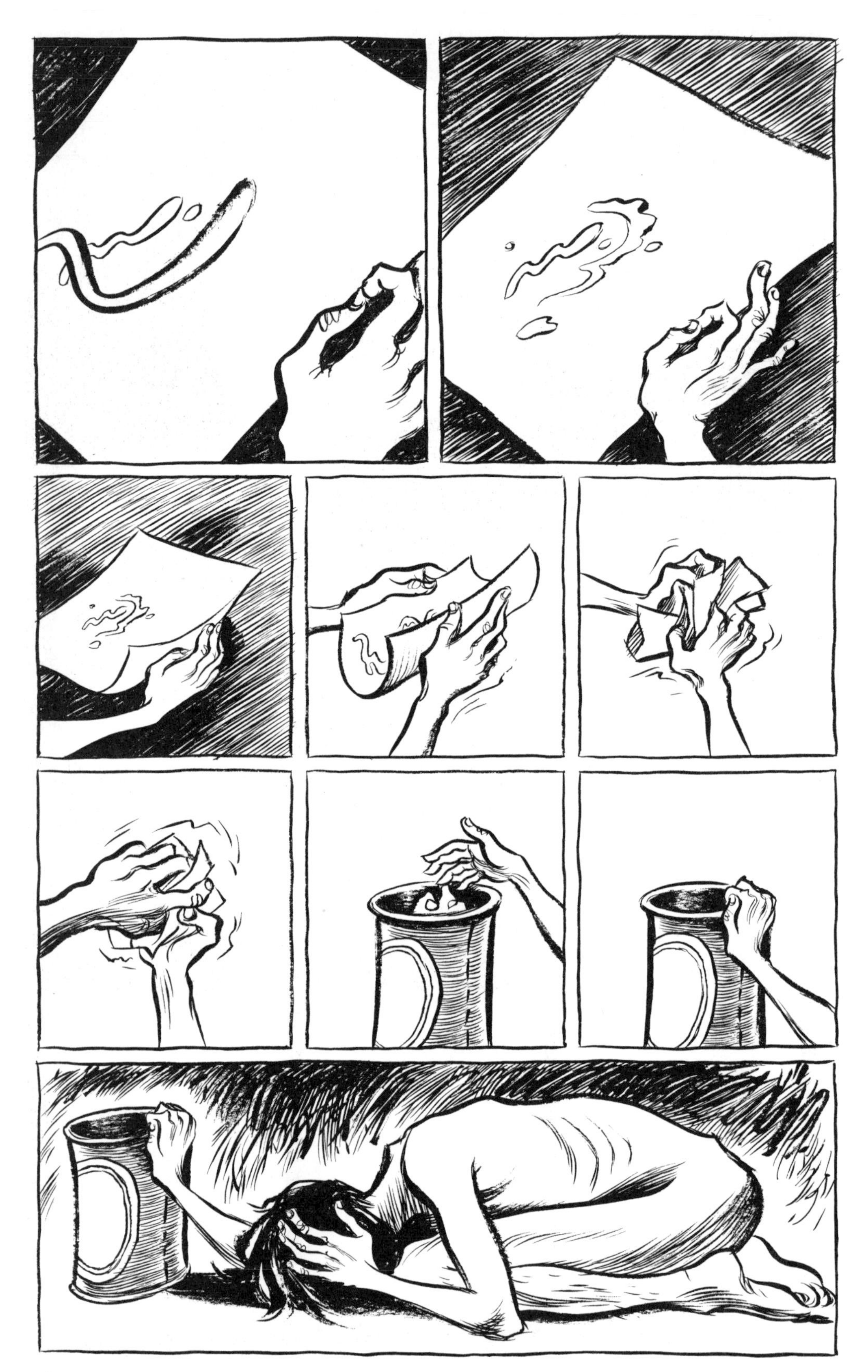

"Durante la cena Jesús tomó un pan, lo bendijo, lo partió y se lo dio a sus discípulos, diciendo: TOMAD Y COMED. ÉSTE ES MI CUERPO QUE SERÁ ENTREGADO POR VOSOTROS."
COMMUNITY BIBLE CHURCH

CRUNCH

"y tomando un cáliz dio gracias, y se lo dio diciendo: TOMAD Y BEBED TODOS DE ÉL PORQUE ESTA ES MI SANGRE QUE SERÁ DERRAMADA POR VOSOTROS, PARA EL PERDÓN DE LOS PECADOS. HACED ESTO EN CONMEMORACIÓN MÍA."

"PORQUE EN TANTO COMÉIS ESTE PAN Y BEBÉIS DE ESTE CÁLIZ,"

"CONMEMORÁIS LA MUERTE DEL SEÑOR HASTA QUE VUELVA."

"POR LO TANTO QUIEN-QUIERA QUE COMA ESTE PAN Y BEBA DE ESTE CÁLIZ, Y NO SEA DIGNO DE ELLO, SERÁ CULPABLE DE PROFANAR EL CUERPO Y SANGRE DEL SEÑOR."

"PERO DEJEMOS QUE CADA UNO SE JUZGUE A SÍ MISMO Y COMA DE ESTE PAN Y BEBA DE ESTE CÁLIZ"
COUGH

"PORQUE QUIEN COMA O BEBA SIN SER DIGNO DE ELLO, HABRÁ COMIDO Y BEBIDO LA CONDENACIÓN. NO SERÁ MERECEDOR DEL CUERPO DEL SEÑOR.

"POR ESTA CAUSA MUCHOS DE LOS QUE MORAN ENTRE VOSOTROS SON DÉBILES Y ENFERMIZOS. Y POR ESTO SU ESPÍRITU DUERME."

Gracias, PASTOR.

Y ahora pongámonos de pie y cantemos "SÓLO LA SANGRE DE JESÚS" en la página 151 de vuestros cancioneros.

Sólo la sangre de Jesús

Podéis marchar en paz.

Bueno, Craig...
HOLY BIBLE

¿Ya has orado y pensado acerca de ponerte al servicio de Dios?

Bueno, es que... *cof cof*

Soy muy ENFERMIZO. ¿Estaré a SALVO en otro país?

Estarás a salvo en CUALQUIER LUGAR donde el señor esté contigo.

Cough cough
HACK HACK
cough cough
cough HACK cough

Un parón momentáneo en la correspondencia entre Raina y yo sólo consiguió agudizar mi enfermedad.

KKKKKKKKKK

Cough cough

Salsa, por favor.

Te has perdido muchas clases este año.

A pesar de ello he hecho todos mis deberes.
Es el invierno. Es duro para él.

Es porque no comes nada de CARNE.

CRACK
las condiciones atmosféri-
cas son extremadamente
PELIGROSAS, y

se aconseja que eviten...
RING
VENTISCAS
7
NEWS

Con nula visibilidad y dos metros de nieve
RING

muchos colegios y negocios se espera
RING

cerrados el Viernes. Siete heridos en una
RI-*
colisión de coches

Craig ...

Es Raina.

Craig, mis padres se van a divorciar.

No, probablemente es mejor así.
Se veía venir hace tiempo...

sí...

Phone
Sólo tengo FRÍO.

¿Dónde?
En una cabina fuera de un supermercado en alguna ciudad de PALETOS de Wisconsin.
SNAKS
ATM
jaja... Sí. ¡Estoy en WISCONSIN!

Tenía intención de llegar hasta tu casa.

¡Sólo está a 640 km!

Bueno, ¿sabes qué? ¡WISCONSIN ES UNA MIERDA!
¡Las carreteras aquí están cerradas por la VENTISCA!

...
No...
Tengo que ir a casa.

Aunque quiero estar contigo.

Siento no haber escrito las dos últimas semanas. He estado enferma.

¿... Tú también?
Tenemos la misma enfermedad.

Phone
Es algo malo, ¿verdad?

No.
... no es eso...
No me importa, estoy harta de sus peleas.
Es todo lo demás.

EL COLEGIO y
mis supuestos amigos
y cuidar de mi hermana
y mi otra hermana y el gilipollas de su marido y estoy
tan CANSADA y hace tanto
frío aquí fuera y tú
eres el único que...
Te echo
Craig...
tanto de
menos.

<CLICK>

Aunque las noticias que me dio eran malas, las palabras de Raina encendieron mi corazón.
Y aunque su viaje fue un fracaso, había hecho un gesto CLARO de afecto.
Sus cartas me habían dado ESPERANZAS, pero esto lo CONFIRMABA.

Después de la llamada y antes de dormir, hice algunos dibujos para Raina, y al día siguiente fui al insti.
ENUF

Ese intento de visita de Raina que había sido obstaculizado por fuerzas más allá de su control parecía un reto,
MOERAE
MOIRAI
recé,
y decidí enfrentarme a mi propio destino.

Bueno, mamá... ¿qué te parece si VISITO a Raina en VACACIONES?
Tus vacaciones sólo duran tres días.
No, seis. De Miércoles a Viernes, más el fin de semana, y además el lunes son las reuniones de padres y profesores.
Eso CASI sirve como para justificar un viaje a Michigan.
Y si me tomo unos días más libres del insti, eso haría que mereciese la pena, ¿verdad?
¿En cuánto tiempo estás pensando?
¿DOS?
¿SEMANAS?
¿EN TOTAL?
¿QUIZÁ?

¡¿DOS SEMANAS?! ¿Qué vais a HACER tú y Raina durante dos semanas?
Vamos, Mamá. Eso no es mucho comparado con todo el tiempo que llevo aguantando en esta ciudad de mala muerte.
Tu padre no está muy contento con todas las clases que ya te has perdido.
Pero mis notas son buenas. De todas formas no hacemos nada mientras estamos EN el colegio.
Lo único que nos enseñan es la EVOLUCIÓN y que Dios ha muerto...
Por no mencionar la EDUCACIÓN SEXUAL...
Por qué dejamos a esta gente que enseñe a nuestros hijos, es algo que no me cabe en la cabeza.
¿DÓNDE DORMIRÁS?

¿Qué?
¿Dónde vas a dormir mientras estés ahí?

Bueno, estoy seguro de que tienen una habitación libre. Los padres de Raina van a estar ahí, por supuesto,

y son Cristianos...

Bueno, por mí está bien, pero tu padre tiene la ÚLTIMA PALABRA.

Si luego va al instituto TODOS LOS DÍAS hasta entonces...
BONITO PELO, Thompson.
¡ja ja MARICÓN!
¡Vale, gracias, chicos!

... y saca buenas notas...
He de decir, Señor Thompson, que en esta clase su actitud ha dado todo un "GIRO."

... y se COME TODA SU CARNE.
mmm ¡DELICIOSO!

Más, por favor.

Mi madre me llevó; su padre la llevó; y quedamos en encontrarnos a MEDIO CAMINO, en la frontera de Wisconsin y Michigan.

KOUNTRY
KITSCHEN
4MA 2

Así que naciste
en Michigan,
¿eh?

¿Has estado alguna vez en la península norte?
El norte mola, ¿eh?

Dicen que las CUATRO ESTACIONES en la Península Norte son: el principio del invierno, la mitad del invierno, el final del invierno, y el invierno SIGUIENTE... ¡JA!

De hecho, MARQUETTE es la ciudad de los 48 estados con más nieve con algo así como 7,5 metros por temporada.
CHEESE
WISCONSIN

Ya sabes... la gente de fuera del Medio Oeste dicen que debemos estar locos para vivir entre la nieve y el frío, pero yo creo que ganamos mucho al SOPORTAR estos inviernos.

Experimentamos molestias que pueden resultar extrañas para otros, pero ese dolor abre la puerta a un mundo lleno de belleza.
¿No crees?

¿Haces esquí? ¿Snowboard?
Son aficiones caras.

No ESQUIO, pero hago TRINEO, ¿verdad, Raina?

Bueno, no lo hacemos desde que eras pequeña, pero...

Le INSPIRA a uno ver como los niños luchan tanto por subir a esa colina sólo por el breve placer de volver a bajar.

Los adultos siempre estamos caminando colina arriba.

ARRIBA, ARRIBA, ARRIBA... y no llegas a ningún sitio.

¿Tienes pensado QUÉ VAS A HACER después del instituto?

No se lo digas a nadie, pero yo tampoco lo sabía cuando tenía tu edad. De hecho, yo tenía un pelo parecido al tuyo y vivía en una furgoneta.

¡oh! Aunque no sé si era un hippie. La palabra "HIPPIE" tienes todas esas connotaciones políticas...

El padre de Raina, Steve, parecía lleno de entusiasmo,
pero sé que NUESTRO entusiasmo era mucho más sincero.
Mientras hablaba, ESTUDIÁBAMOS como todo el peso y sabor del aire había cambiado en presencia de ambos.

La única palabra que Raina logró meter de canto entre el parloteo de su padre fue una simple exclamación:
nieve.

Raina, por qué no le enseñas a Craig la casa y desempaquetáis vuestras cosas mientras recojo a Ben y Laura.

Vamos, tengo un REGALO para ti.

Eso es un regalo PARA LOS DOS. Éste es sólo para ti.

Vale. Ahora mantén los ojos cerrados.

Esto es algo que he hecho para ti.

Ya puedes abrirlos.

...

Es bonita.

Un EDREDÓN hecho a mano...
¡Te ha debido llevar un MONTÓN DE TIEMPO!
Me encanta el corte de este tejido.
Todos son patrones que me recuerdan a ti.
Este trozo es de la manta de cuando era bebé.
¡VAYA!

Es...
Es SAGRADA.

¿Qué puedo hacer yo para devolverte el favor?
Nada. Es un regalo.

¡TE LO IMPLORO!
Es como nuestras cartas, tú me escribes, yo te escribo... DAR y TOMAR.
¿Cómo te puedo compensar?

Bueno, se me ocurre UNA cosa...

Éste es mi dormitorio...

NIRVANA
Está genial.

QUIERO QUE...

¡...PINTES ALGO EN LAS PAREDES!

Oh...

buuuf
NIRVANA

¿Dónde?

¿En el techo?
BJÖRK

EXUPERY
No... Aquí mismo.

...al menos para empezar.
VIOLENT FEMMES
The Little Prince
Radiohead
PABLO HONEY
MIRO
VASELINES
1993

Vaya...
No sé...
¿Con pin-
tura?
Se quedará para siempre.
¡Eh! ¡Ya LLEGAMOS!
¡Vamos! ¡Son mi hermano y mi hermana!

¡eee!

Hola Laura. Hola, CARIÑO. Dame un abrazo.

¿Te has divertido hoy en el colegio?
¡eee!

Laura, éste es mi amigo Craig que está de visita.
Craig, ésta es Laura.
Hola, Laura.
...
Vamos, Ben. Sólo di "HOLA".

Vamos... Que es el amigo de Raina.

¡eee!
Le gustas.

¡uaaah!... ¡es fuerte!
eee JAJA

¡GAH!
Jar La
ja ja... No seas muy BRUTA, Laura.
Ben...

sniff
Ben, tienes que aprender a ser un buen anfitrión.
Craig va a quedarse durante un par de semanas, así que sé bueno.
Ahora entra y cena algo antes de que cojas un resfriado.
JAJA JAJA
DRUMBA DRUMBA
JA SPAH JA
MICHIGAN
PAT PAT

ja ja ja
Tienes que dejar a Craig, Laura.
¡eee!

¡Hola, Ben! ¿Qué tal todo por el centro?
Bien.
Pero mañana, voy a ayudar a Papá.
Eso es... ¡en la CONSTRUCCIÓN!

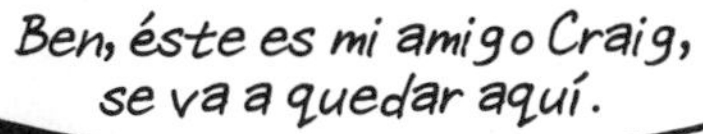
Ben, éste es mi amigo Craig, se va a quedar aquí.

Hola, Ben.

Ben es un poco tímido.

SLAM

Bueno, Laura y yo vamos a cenar algo. ¿Queréis un poco de tarta de pollo?
Papá, somos vegetarianos.

Ah, sí, es verdad... NADA DE CARNE
Por eso estáis los dos tan DELGADOS.

POT PIE! chicken FAST!
JIF
WONDER
MILK
Raina, una vez que acabe de recoger... Tengo que irme.

¿Arroparás a Laura en la cama por mí esta noche?
PAPA
Claro, Papá.

Por lo que más quieras...

...dile a tu madre que le deseo lo mejor.

eeee

eeee

Laura, tienes que dejar a Craig. Es hora de dormir.
eee
eee

Estará aquí durante dos semanas, pero ahora mismo tienes que ir a dormir.
eeee

Eso es. Podemos jugar más **MAÑANA**.

...

eee!

Muy bien, Laura. Ya basta.
AAAAH ¡NAH! SOB NAH

Tú te vas a la cama aunque tenga que arrastrarte.
¡NAH! eee

Laura no cree en el mañana.

Vamos, te leeré un cuento.

FUGAZI
Yo también tenía que leerme un cuento.
PAX

Incluso cuando iba de visita a casa de algún amigo, seguía con mi hábito de leer mi Biblia todas las noches.

NIV

PABLO HONEY
PAX
Lucas 8, 40-53
Jesús cura a una hemorroísa y resucita a la hija de Jairo.
Al volver Jesús, le recibió la multitud, pues todos estaban esperándolo.

Y se presentó un hombre llamado Jairo, jefe de la sinagoga, que echándose a los pies de Jesús, le rogaba que entrara en su casa, porque su única hija, de unos doce años, se estaba muriendo.
Mientras Jesús iba, las multitud le oprimía.
Y una mujer que padecía de flujo de sangre desde hacía doce años, pero a quien nadie pudo curar,
se acercó por detrás, le tocó la orla de su manto, e inmediatamente cesó el flujo de sangre.
¿QUIÉN ME HA TOCADO?
Preguntó Jesús.

Como todos
lo negaran,
dijo Pedro.
MAESTRO, ES LA GENTE QUE TE RODEA Y TE OPRIME.
Mas Jesús
le contestó:
ALGUIEN ME HA TOCADO PORQUE YO HE SENTIDO QUE DE MÍ HA SALIDO UN MILAGRO.
De repente, me di cuenta de que estaba tumbado en la cama de Raina DESPREOCUPADAMENTE como si fuera mía...
NIV

...lo que me pareció como un profundo acto de falta de respeto por tal objeto;

que en vez de eso, debería estar quitándome mis sandalias (¿calcetines?) y apartar mi mirada.

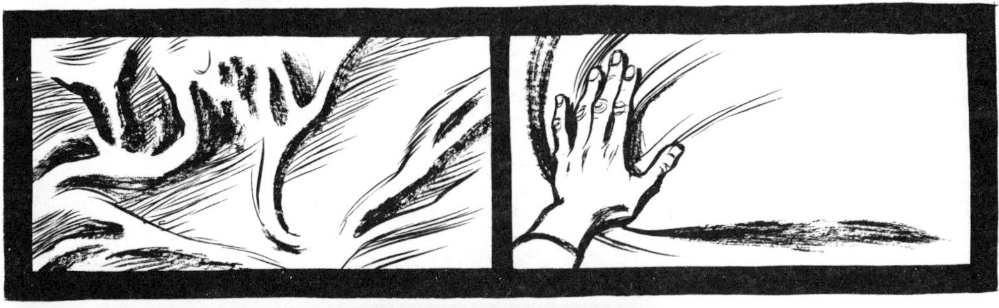

Me senté en la otra punta de la habitación y me di cuenta de que vigilando la cama estaba el mismo retrato que colgó una vez en la habitación de mis padres.

Espera en nuestro dormitorio, ahora vuelvo con tu Padre.

El conductor del autobús nos ha llamado hoy.

Ha dicho que estabas dibujando en el autobús y que tiraste algo a la basura.

¿Recuerdas qué era?

hum...
¿Dibujos de guerra?
USA
No...
Por el otro lado.

Una
señora...
... sin
ropa.

Sí.
DESNUDA.

El cuerpo es algo bello, Craig, pero no así.

Dios nos ha creado, pero el pecado nos ha hecho impuros.

Lo siento.

¿Cómo crees que nos sentimos con lo que has hecho?

¿ENFADADOS?

No.
Tristes.
EJEM

Porque Dios te ha dado un talento y no queremos que los pongas al servicio del Diablo.

¿Cómo crees que se siente Jesús?

Sob *Sob Sob*
¿eh?
sob... tris... ¿TRISTE?

Sí. TRISTE.
Porque cuando pecas eso le duele.

¿Craig?
¿Estás bien?

¿EH?
AH SÍ. Sólo estaba a lo mío.
Mi madre acaba de llegar...

mamá, este es...

¡CRAIG!
¡Es un PLACER conocerte al fin!
PIGGLY WIGGLY

He oído cosas tan buenas de ti,
¡Raina nos ha hablado TAN BIEN de ti!
Y tus DIBUJOS... ¡son tan bonitos!

Estamos tan contentos de que hayas venido.
Aunque espero que no te importe cómo está la casa.
¡oh, está todo MANGA POR HOMBRO!

¿Te han dado ya la VISITA COMPLETA?
¿Tienes todo lo que necesitas?
¿Toallas de baño y demás?
¿Has traído ropa que abrigue lo suficiente?

¿Y te ha dado ya Raina su regalo?
¡Le ha llevado MUCHO tiempo!

Puedes darte una ducha si quieres.
Hay dos cuartos de baño.
Y puedes dormir aquí...

... en la HABITACIÓN DE INVITADOS no está mal, ¿eh?
La antigua habitación de Julie.
La cama tiene sábanas nuevas.

Bueno, Craig...
Debo DISCULPARME por la TENSIÓN que hay en la casa ahora mismo.
con el DIVORCIO
Estoy seguro de que Raina te lo ha contado todo.

Ha tenido que soportar MUCHO peso sobre sus hombros,
y está bien que estés aquí ahora mismo.
Pero si no te sientes cómodo, no dudes en decirlo.

Estamos intentando llevar este... DIVORCIO... de la manera más digna posible, de verdad, por el bien de los niños.

SÉ que tú y Raina cuidáis el uno del otro...

de hecho, no es difícil imaginaros a los dos casados...

¿Ya has comido algo?

Tengo más comida... PIZZA y demás... Esas cosas que os gustan a los chavales...
ZZA
... y algo de cereales y...

Raina, haces lo mismo que tu padre, CARGAS el lavaplatos y no lo pones en marcha.

Ay Tengo que meterme a la cama. Craig, ¿te importa si me dejas un rato a solas con Raina?
Eh, claro... esto...

Siéntete como en tu casa... Espérala si quieres....
...en su habitación.

Entonces la mujer, viéndose descubierta, se acercó temblando y se postró a sus pies y contó por qué le había tocado y cómo se había curado al instante.
Y él le dijo,
HIJA, TU FE TE HA SALVADO. VE EN PAZ.

Raina, por favor, escribe por mí esta nota para tu padre...

Dile...

...que TRABAJO de mañana temprano...

...así que cuando traiga el desayuno, debe asegurarse de que Laura marcha para el colegio.
k right away
morning

Oh, eso puedo hacerlo yo, mamá.

No, tienes VISITA.
Ya cargas con demasiada responsabilidad.

De todas maneras, es su RESPONSABILIDAD como padre llevarla.

Por la tarde, tengo terapia, así que tendrá también que recoger a Laura, y no tendré tiempo de preparar la cena por lo del Grupo de Estudio de la Biblia, pero prometo que la haré el Miércoles.

Y dile que he cancelado nuestra cita con el consejero matrimonial ya que no nos está sirviendo de mucho.

Cuando Jesús estaba hablando todavía, llegó alguien de la casa de Jairo, el jefe de la sinagoga.
TU HIJA HA MUERTO,
NO MOLESTES YA AL MAESTRO.
Al oír esto, Jesús dijo a Jairo.
DEJA DE TEMER;
BASTA QUE CREAS, Y SERÁ CURADA.
Cuando entró a la casa de Jairo, a nadie permitió entrar con él salvo a Pedro, Juan, y Santiago, y la madre y a la madre de la niña.
Mientras, todos lloraban y sollozaban por ella.
DEJAD DE LLORAR.
NO HA MUERTO SÓLO DUERME.

¿Has acostado a Laura?
Sí.
También añade que tengo clases toda la noche.
Z

Y se rieron de él porque sabían que estaba muerta.
Mas él la tomó de la mano y dijo,
¡DESPIERTA, MI NIÑA!
Y su espíritu volvió y al instante se levantó.

Y Jesús les dijo que le dieran de comer. Y los padres quedaron sobrecogidos, pero Él les dijo que no contaran a nadie lo acontecido.

RAMONES
NIRVANA

Vaseline
Clearsil
BAN
Dayquil
TUMS

ILEX
Kotex
ultra thin maxis
TAMPA

que padecía de flujo de sangre desde hacía doce años

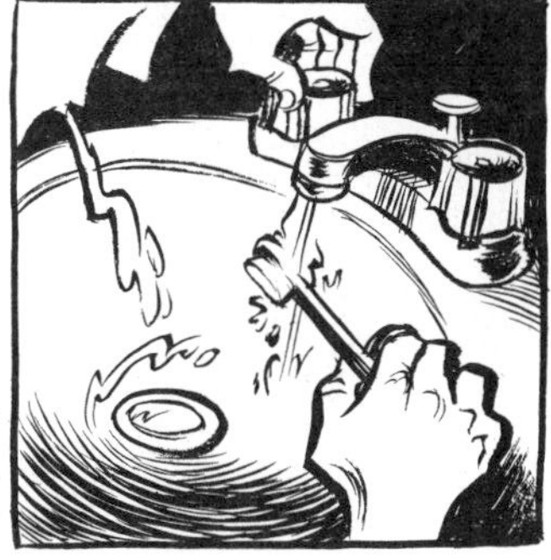

Entonces eso es todo. Me voy a la cama.
RRRRIP
Da las "BUENAS NOCHES" a nuestro visitante de mi parte. Parece bastante encantador.
Buenas noches, Mamá.
HUM HUM HUM HUM
HUM HUM
Las últimas horas en la casa nos pertenecían a Raina y a mí.

Hablábamos hasta que estábamos demasiado adormilados y enton-ces simplemente nos sentábamos cerca el uno del otro.

Quería tocarla...

... pero esta vez no lo hice.

Buenas noches.

De camino al cuarto de invitados, me di cuenta de que me había olvidado de mi nueva manta acolchada,

Pero no quería volver y molestar a Raina.

Hace DOCE horas, estaba en casa de mis padres.

La cama estaba dura y descuidada.

Parecía más un FÉRETRO que una cama...

... con una procesión funeraria de animalitos de peluche colocados a lo largo de la estantería.

¿QUIÉN ME HATOCADO?
¿QUIÉN ME HATOCADO?
¿QUIÉN ME HATOCADO?
¿QUIÉN ME HATOCADO?
¿QUIÉN ME HATOCADO?
¿QUIÉN ME HATOCADO?
¿QUIÉN ME HATOCADO?

¿quién me ha tocado?

IV
Estática

Me levanté
completamente
atontado.

... solo recuerdo estar toda la noche tumbado y esperando a que el sueño llegara...

... y como no podía recordar la transición...

... del día a la noche al despertar al sueño al soñar al despertar de nuevo...

Raina.

Y entonces oí su voz...
JA JA... Eso te gustaría, ¿verdad?

Eso es porque soy el Tío Ben

Eso es, EL TÍO BEN.
Y si sigo trabajando para Papá y consigo el CARNET PARA BARCOS...

... y luego compraré el YAMAHA WAVERUNNER.
Entonces podré llevar a Sarita al Lago Michigan...

... y me dirá que soy el tío más guay que...

Buenas.
Cheeryoat

Buenos días, Dormilón.

Ben...

Esto... ¿interrumpo algo?

No, Ben y yo hemos pasado la mañana juntos.

Esta mañana he estado escribiendo.
¿oh? ¿Y qué has escrito?

Secretos.
Oh...
Cheer

No son secretos que te oculte...
Son secretos de un MOMENTO, de la naturaleza,
Cosas calladas de las que nos olvidamos.

Cheeryoats
KSSHHH
MILK
WISCONSIN

Di gracias por los cereales...

... la única comida que mi estómago, acribillado por los retortijones del enamoramiento, podía soportar.

¡SALCHICHAS! ¡McMUFFINS!

Eh, chicos, he traído comida... Ooh...Ya estáis comiendo.
Cheeryoats

No pasa nada, papá. Somos...

...VEGETARIANOS. Nada de salchicha *ay* ¿Y dónde están Ben y Laura?

Laura está viendo BARRIO SÉSAMO en su habitación, y Ben se está escondiendo.

Bueno, tenía que coger el camión y llevar a Ben a arrastrar unos 2X4 a la obra.
Lo que significa que te puedes quedar la furgoneta hoy, y yo llevaré a Laura al colegio en cuanto esté lista.
De acuerdo, Papá.

Ya estamos... otra nota para mí.
GOD BLESS

SSSSSSSSh
sshhk sshk

¡FUERA el pijama!

¿Quieres llevar tu sudadera del MONO?
GOD
¡eee!

Vale... Pasa por ahí la cabeza.

¡JA! Mira tu pelo, ¡Diablilla! ¿Por qué no llamamos a Craig para que nos ayude a peinarlo?
eee

NEW KIDS ON THE BLOCK
A Laura le encantaba que le peinaran el pelo.
Cuando recién levantada le cepillaban su pelo enmarañado, sus cabellos se volvían exuberantes y sedosos.

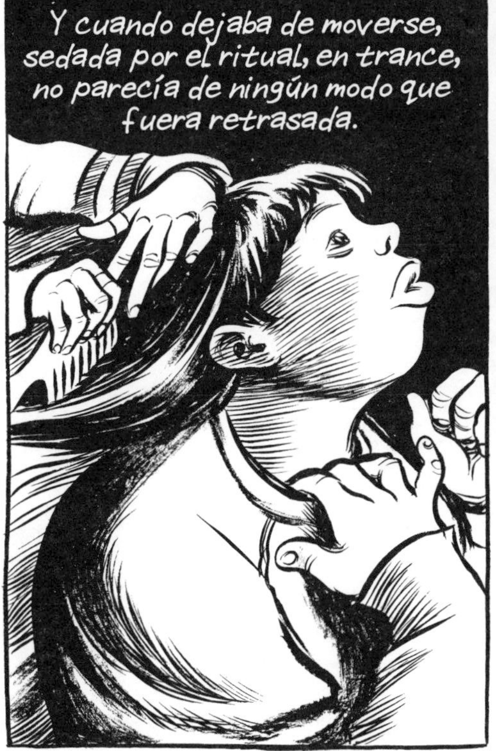
Y cuando dejaba de moverse, sedada por el ritual, en trance, no parecía de ningún modo que fuera retrasada.

O más bien, me di cuenta que las CARACTERÍSTICAS EXTERNAS con las que solemos identificar el retraso mental tienen menos que ver con los rasgos físicos, que con la COORDINACIÓN PSICOMOTRIZ.

La piel de Laura aparecía inmaculada bajo el escrutinio del sol del mediodía.
Sus ojos eran brillantes, sus labios llenos, y todos sus rasgos componían el diseño armonioso de un niño. (Estaba celoso.)
Cuando se quedaba quieta, Laura era tremendamente bonita.
¡eee!

¿Has leído esta nota, Raina?

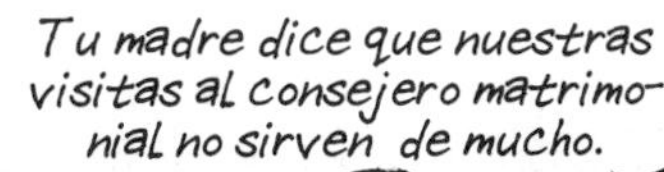

Tu madre dice que nuestras visitas al consejero matrimonial no sirven de mucho.

¿No sirven de mucho?
Creía que estábamos haciendo progresos IMPORTANTES...

Vale, Ben. ¡Ya basta de esconderse, HORA DE TRABAJAR!

Craig, no te importará ayudarnos a Ben y a mí a cargar madera, ¿verdad?

Este trabajo lo acabaremos MUCHO más rápido con un poco de TRABAJO EN EQUIPO, ¿eh?

La madre de Raina y yo tenemos algunos problemas ahora mismo.

Judy, su madre, quiere el divorcio.

Gracias, Ben.

Pero yo no creo en el divorcio.

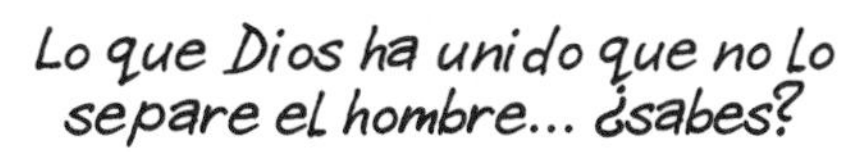
Lo que Dios ha unido que no lo separe el hombre... ¿sabes?

Supongo que esto es una racha.

Muy bien, Ben.
¿Quieres ir a por las chicas?

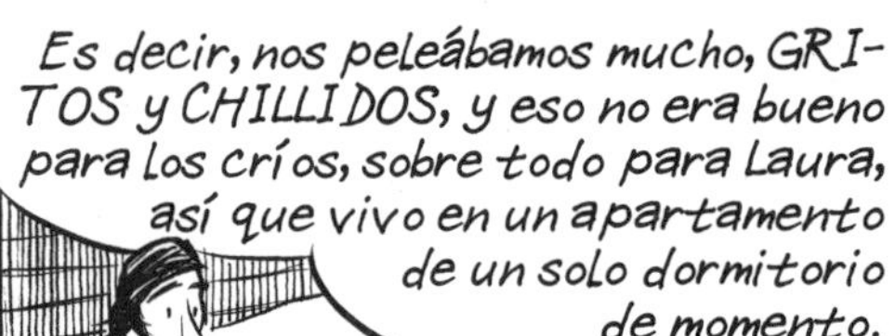
Es decir, nos peleábamos mucho, GRITOS y CHILLIDOS, y eso no era bueno para los críos, sobre todo para Laura, así que vivo en un apartamento de un solo dormitorio de momento.

¡Muy bien!
¿Listos para marchar?

... DE MOMENTO.

Así que dimos vueltas en coche por la ciudad.

Todo esto es tan limpio y puro.
Sí, pero dentro de poco estará manchada por el ajetreo de la ciudad y será una masa horrible, de color MIERDA.

Dejemos la ciudad y vayamos a la montaña.

PROHIBIDO
VEHÍCULOS A PARTIR
DE AQUÍ

¡Vaya SOL!
El bosque nos protegerá de él.

Nunca he visto sombras tan alargadas.
Querrán llegar a ALGÚN sitio.

La verdad es que yo no.

¿Te ABURRES?
Claro que no.
Es sólo que no tengo ganas de hacer nada.

Tengo ganas de CAERME sobre la montaña.
FWOMP

un ángel...

FWOMP

Perdóneme si he aplastado sus alas.
JA JA

Desde nuestros moldes de nieve, contemplamos cómo las sombras se extendían hasta donde podían llegar,

y como la luz caía desde el cielo y comenzaba a resplandecer a través de la alfombra de nieve.

Es bastante tarde, ¿tienes hambre?
Sí...

... pero la verdad es que no de comida.

Las sombras se retiraron a las raíces de cada árbol, pero nos quedamos donde estábamos.

Comenzó a nevar.
Escucha...
... ese sonido suave, tinti-neante...
... como peque-ños, fragmentos quebradizos de cristal haciéndose añicos en la nieve.
¿Sabes lo que es?
¿El qué?
Ese sonido...
Es la ESTÁTICA que descarga cada copo de nieve, debido a que el aire está tan seco.

ESTÁTI-
CA...

SÍ.

...

Cuando éramos críos, mi hermano y yo compartíamos la misma cama...

... y a menudo veíamos CHISPAS danzando entre las sábanas.
VAYA

... PEQUEÑAS HADAS RELUCIENTES cuyo vuelo podíamos seguir a través de las mantas.
¡A ver si puedes cogerla!

Ahí está... a nuestros pies.
¿Dónde?

Se ha ido.

¡Ahí está!

Y nos lo explicaron...

¿No es Campanilla?

Cuando volvimos a la cama, las hadas habían desaparecido.

Intentamos frotar las sábanas para cargarlas con estática, pero no logramos nada.

...

...

Sólo un ejemplo más de cómo los adultos transforman la cosas mágicas...
... en estática.

No me estarás acusando de lo mismo, ¿verdad?

JAMÁS.

... dicen que los Esquimales tienen muchas palabras diferentes para la nieve.

Y se besan con la nariz.
¿Cómo?
Con la nariz.
Así...

Y así es
como se besan
las mariposas...

...
Con sus
pestañas.

Cuando era
crío, me solía
ARRANCAR las
pestañas.
Dios,
¿por qué?

Porque creía que me hacían
parecer una chica.

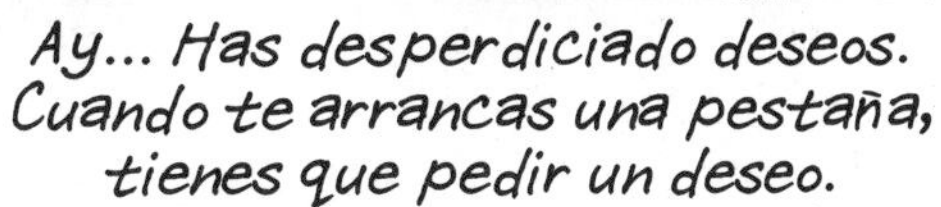
Ay... Has desperdiciado deseos.
Cuando te arrancas una pestaña,
tienes que pedir un deseo.

¿Un deseo?

sí...

De noche, tumbados y contemplando la nieve caer, es fácil imaginarse que uno se eleva a través de las estrellas.

Puedo sentirme girando por el espacio a velocidades increíbles.

66.6000 millas por hora.
Ésa es la velocidad a la que la tierra se mueve por su órbita.

No está mal para una chica que hace piras, ¿eh?

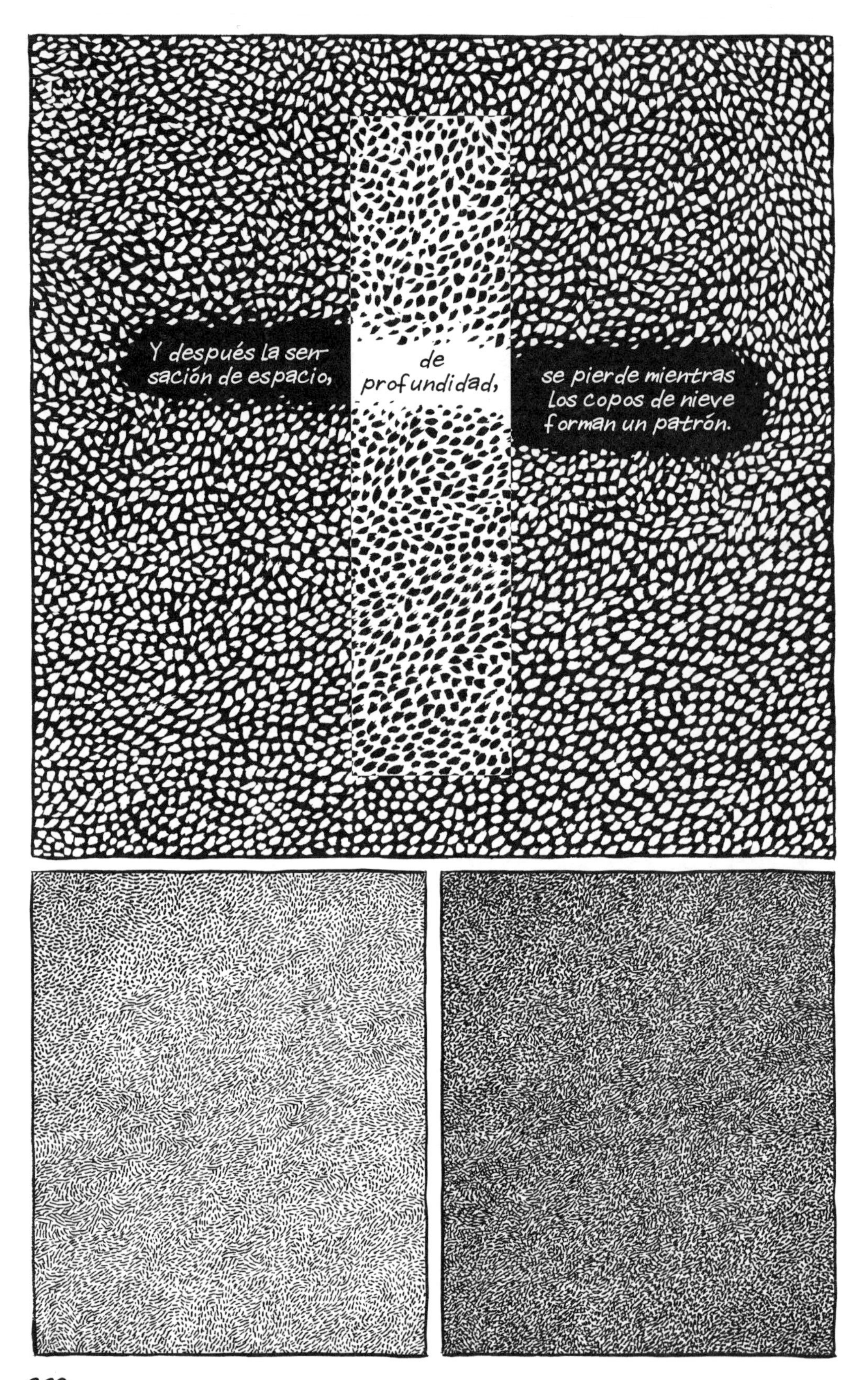
Y después la sensación de espacio,
de profundidad,
se pierde mientras los copos de nieve forman un patrón.

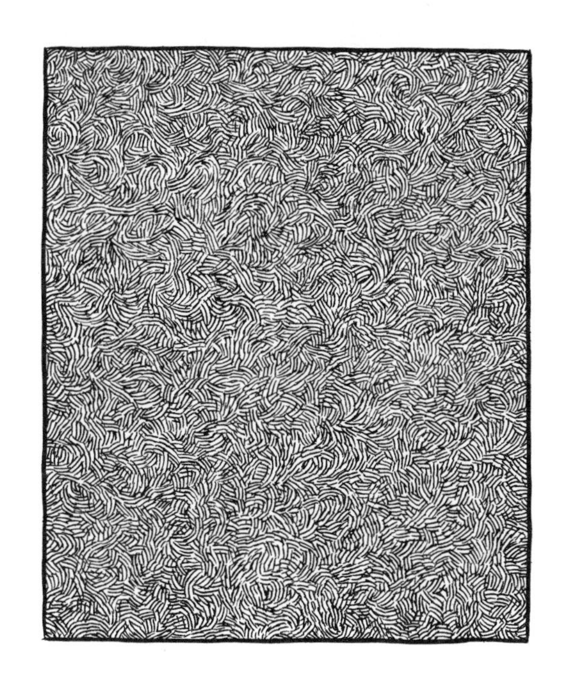

V

No quiero crecer

¡Llegáis Tarde!

¿Dónde habéis estado?

¿Pero a ti qué te pasa, Dave? No eres mi padre.
Por cierto, ¿dónde está mi padre?

Ha ido a misa con "los niños" y que no hayáis aparecido le ha DISGUSTADO mucho. Pasamos por aquí a dejar algo de cena...

...que ahora está FRÍA gracias a que habéis llegado tarde.
¿Hay patatas?
uuf

Dave, éste es mi amigo Craig.
AMIGO, ¿eh?

Craig, éste es Dave, el marido de mi hermana.

¿Cómo es que vais con esas pintas, chavales? ¿Es eso del "GRUNGE"?

¿Y dónde está JULIE?
En tu habitación. Con el BEBÉ.
Nos ha surgido algo en el último minuto,
Y nos preguntábamos si podríais cuidar al BEBÉ esta noche.

Gracias, Dave.
No os habréis estado drogando, ¿eh, chavales?

¡Oh, Raina! Estoy tan contenta de que hayas aparecido. ¡Hemos estado corriendo de aquí a allí como pollo sin cabeza!

Era, encima, DÍA DE ENTREGA en el periódico, y Dave ha hecho, unas cuatro desvitalizaciones de nervio en un día.

Julie, éste es mi amigo Craig del que te he hablado.
Hola

Hemos dejado al bebé en la guardería durante diez horas hoy, y me harías un FAVOR si pudieras cuidarlo esta noche.

Sí, claro que sí.

¡ESTUPENDO! La leche está en la nevera, los pañales en la cocina, la cuna en la sala de estar...
Sí. Me sé la rutina.

Julie...

... no queremos que nos estén esperando.

Sí, sí. ¿Cómo está mi maquillaje?
Son muy susceptibles con lo de LLEGAR TARDE.

Vendremos a por el bebé a las nueve y medie. ¿Está bien mi maquillaje?
Está genial.

Oh... ¡y ha sido estupendo conocerte, Chris!
¿Chris?

SLAM

Le llaman "EL BEBÉ".

Se llama Sarah.

Toma. ¿Quieres cogerla?
Nunca he cogido a un bebé.

Sólo tienes que tener cuidado. Acuna su cabeza, porque necesita de más apoyo.
¿Así? ¿Lo estoy haciendo bien?

Hola, Sarah.
FEMMES
1993
Radiohead
PABLO HONEY
VASELIN

Le encantan tus ojos...

... Ojos brillantes, bellos, verdes. Le gustaría que fueran suyos.

Debería sentirse más honrada por tener los ojos de su TÍA...

...los estanques misteriosos más cálidos, del marrón más profundo - casi negros - en los que podrías ahogarte.
¡JA! ¡Quizá te ahogues en tu propia cursilería!

¿Alguna vez te has imaginado siendo padre?

¿Yo? No. Soy demasiado irresponsable.
Apenas puedo cuidarme a mí mismo.

No estoy de acuerdo.
Serías un padre genial.

Como el típico tío
majara sería bueno.

¡eh WAH!

Oh no. La he
enfadado. Oh, Sarah,
lo siento.
Creo que sé
lo que pasa.

Sí.
¿Alguien tiene
un pañal?

esto... nunca
he cambiado...
No te
preocupes.
Lo tenemos.

Bueno, ¿qué piensas de Julie y Dave?
ummm.... Parecen un poco... ¿nerviosos?

Llevan casados apenas un año y ya está hablando de divorciarse.

¿Es tu hermana de verdad, o sea, BIOLÓGICA?
Sí, la mayor.
Cuatro años mayor.

Un año después de que yo naciera, mis padres adoptaron a Ben y Laura.
Fue una especie de acto de GRATITUD hacia Dios por haberles BENDECIDO con una familia sana.

¿Qué edad tienen Ben y Laura?
Ben tiene 26 y Laura 19.

Diecinueve... Vaya. ¿Es mayor que nosotros?

Sí, aún lleva pañales, aún gatea...
Está mas RETRASADA de lo que debería, y hace que mis padres sientan que han fracasado.

¿Fracasado? Pero no es culpa suya, ¿no?

Laura fue rescatada de una familia que la MALTRATABA, y la trasladaron a una familia que la MIMABA y PROTEGÍA.
En algunos casos, los padres SOBREPROTECTORES pueden ser tan perjudiciales como los negligentes.

Pero lo han hecho lo mejor que han podido, ¿no? Y su forma de ser, Laura es tan dulce y cariñosa.

Sí, es muy dulce.
Definitivamente, mis padres la han querido y se han preocupado mucho por ella...

... pero no creo que estuvieran preparados para una carrera de fondo... para que Laura creciera y siguiera siendo un niño.

...Y quizá se preocuparon demasiado de sus hijos y se despreocuparon de ellos mismos y el uno del otro.

... Mira, con qué facilidad se duerme.,

Dulces sueños, Sarita.
Si quieres te enseño unas fotos.
Claro...
...pero déjame que coja algo antes.

Mira. Ésta es Laura cuando tenía seis años.
¡Ooh!
Y Ben... era mucho más cariñoso entonces.
Parece que tus padres estaban realmente enamorados.
... sí.
¡Y ahí estás TÚ! ¡Tienes la mirada de una princesa!
Yo creía que era el centro del universo a esa edad.
¡SABÍAS que eras el centro del universo!

¿Qué esperas? Yo era la niña pequeña. Me MALCRIARON.
Todas estas fotos son de ti y Ben juntos.

Sí. Estábamos juntos constantemente, cuidando uno del otro...
Estaba tan ORGULLOSA de tener un hermano, y tenía tanta CONFIANZA en mí misma.

¿CONFIANZA? 'Confianza', no es una palabra que asocie con la infancia. Más bien con 'indefensión', o 'ATRAPADO'.

Era una confianza surgida de la ignorancia, al no ser consiente del mundo real o de mis propias limitaciones.

Con una BONITA SONRISILLA de niñita, me podía salir con la mía; y en parte utilizaba esa fuerza para proteger a Ben.

Bueno, obviamente él también estaba ORGULLOSO de ti.

Aquí hay más de ti y Ben...

¡Aquí hay una foto de ti SOLA!
¡Qué RARO!

Vaya...
¡Aquí si que estás BONITA!

Puedes quedártela.

¿Qué? No puedes...
TOMA.
Guárdala.

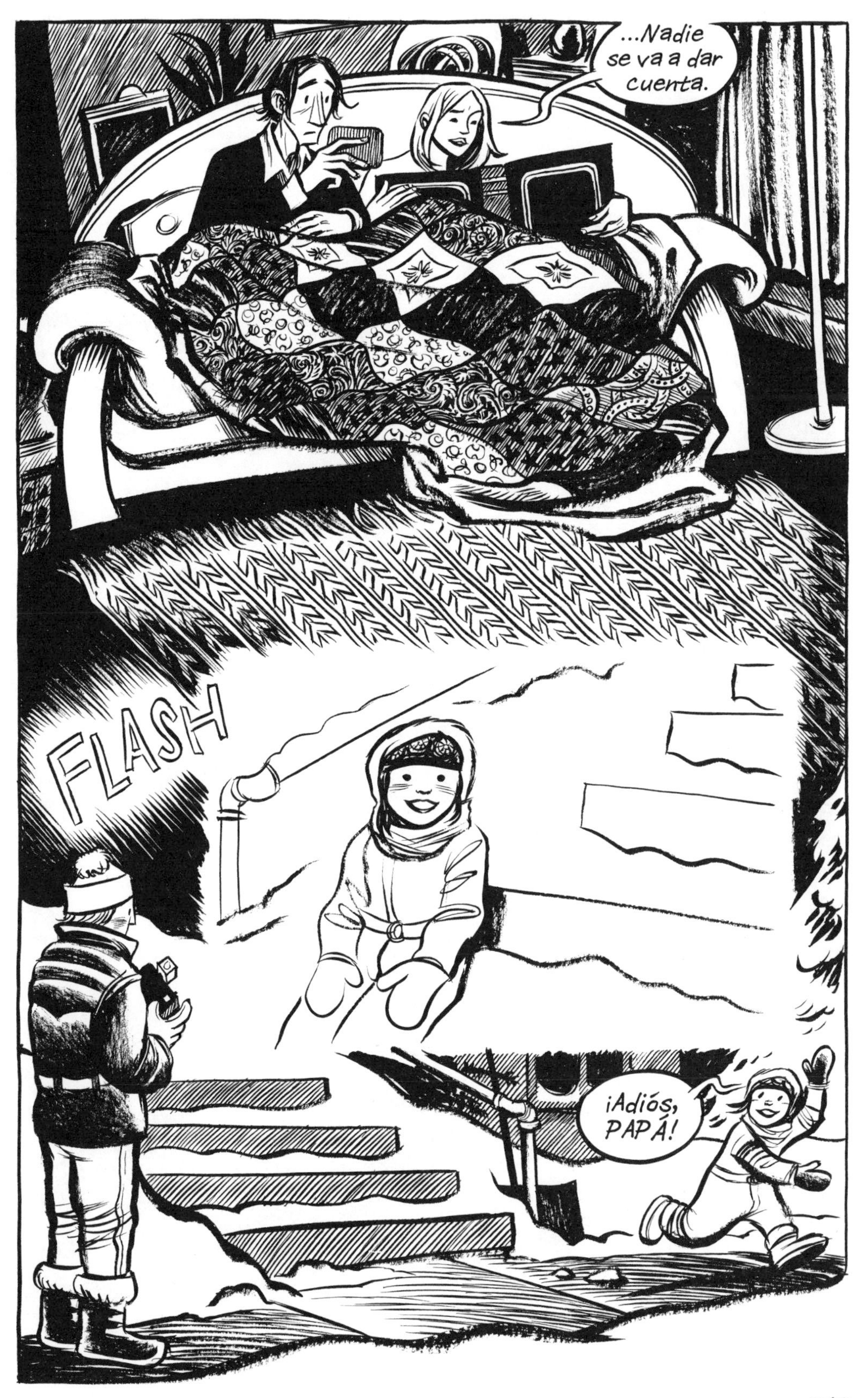
...Nadie se va a dar cuenta.
FLASH
¡Adiós, PAPÁ!

¿Quién es?
Es JULIE.

JORDACHE
JA JA ¡Bonito flequillo!
Era una adolescente MOCOSA.
¿Y ésa eres TÚ?
Sí...
¡Llevas PERMANENTE!
JORDACHE
Era el PRIMER AÑO de insti. ¿Qué esperabas?
Ya no más mirada de princesa...
CURE
CYNDI LAUPE
MAR
JORDACHE
Debió de ser culpa de la PERMANENTE.

¿Así que pasaste por una etapa de rebelión adolescente como Julie?
No. No hubo tiempo para ella.

Julie siempre se sintió atrapada por las responsabilidades de nuestra familia.

Por eso se casó joven... cogiendo al primer tipo que pasó, el gilipollas DAVE.

...
Ella te preocupa, ¿verdad?

No. Dejé de preocuparme por Julie hace tiempo... ya es mayorcita como para cuidarse ella sola.

Pero SIEMPRE me preocupo por Sarah...

...y la ÚNICA cosa que quiero hacer después del instituto es cuidar de ella...

... prestarle toda la ATENCIÓN del mundo para que no acabe como...

¿Y tú qué?

¿Qué quieres hacer después de GRADUARTE?

¿SI me gradúo?

Nada.

CLICK KA CLICK

SLAM

Hola, Mamá.

Bueno, HOLA, chicos.

Craig, qué bien viene tener visita.

Veo que los dos estáis cuidando del bebé.

Espero que también tengáis tiempo para divertiros.
¿Has visto algo de la ciudad?

Sí, subimos
a la montaña.

¿Está Laura ya
en la cama?
CALCI
600mg

Ella y Ben están en misa
con Papá... Llegarán
enseguida.
Bueno, tengo
que descansar un
poco, dales las buenas
noches por mí.

He tenido un día DURO.

Oh, y Raina... hay una cosa que quería comentarte.

¿Hoy has faltado al insti otra vez?

Sí, Mamá.

Bueno, a ver si mañana quizá puedes aparecer por ahí un par de horas.

Vale, Mamá. Buenas noches.

Poco después, Steve, Laura, y Ben volvieron, y -casi a la vez- Julie y Dave. La cocina era una maraña de llaves de coche tintineando y de conversaciones incómodas.

ORD'S COURT
anks be to God, which giv
s the VICTORY." (I CORIN.
¡Eh, RETRASADO!
No le llames eso, Mike. El término adecuado es MONGOLO.
Oh, sí.... MONGOLO. ¿Quieres jugar a baloncesto con nosotros, MONGOLO?
¡Es un ANORMAL!
Toma. Tira tú primero.
Coge la pelota, MONGOLO.
¡DEJADLE EN PAZ!

Tenéis SUERTE de que Ben sea TAN BUENO...
...¡porque es DIEZ VECES MÁS FUERTE que vosotros, y os podría sacudir hasta decir basta!
no estábamos haciendo nada, Jolín.
¡PODRÍA ROMPEROS LA CARA A LOS DOS!
Vamos, Ben. Pasemos de estos pringados.

Cuidaban el uno del otro.
Que duermas bien, Ben.

Pero yo fui demasiado débil como para cuidar de mi hermano pequeño.
SÍ, es TU turno... pero primero tenemos que ir a la otra habitación.
Desde pequeño, siempre me sentí A DISGUSTO con mi cuerpo.

Lo veía únicamente como un RECEPTÁCULO de mi ALMA.
Pero aunque me sentía incómodo con sus debilidades y deficiencias, siempre estuve aún más aterrorizado por la idea de CRECER.
La gente mayor era una especie tan extraña - sobre todo los del INSTI...
... con su CARNE rara, moviéndose pesadamente,
su olor corporal y bocas pestilentes,
su ACNÉ putrefacto,
los primeros brotes de vello,
y órganos sexuales hinchados.

No podía llegar a entender que el alma atrapada en mi cuerpo de niño fuera a ser TRANS-PLANTADA a su grotesca réplica adolescente.

Pero aquí y
ahora yo era un
ADOLESCENTE.

con GRANOS...

... y VELLO PÚBICO...
SCRAPE

...y ...

Todo lo que podía
hacer para sobrellevar mi
SITUACIÓN era transferir
mis miedos al siguiente
estado de mi desarrollo.
NUNCA
seré
ADULTO.

Craig...

¿Crees en Dios?
POR SUPUESTO.

Yo tam- bién....

...pero no creo en el CIELO.

¿oh?

No tengo fe en el FUTURO...
... ya sea uno perfecto o uno maldito.

Si Sarah MURIERA esta noche, ¿iría al CIELO o al INFIERNO?
AL CIELO, supongo.
Pero obviamente es un poco joven para cumplir con la rutina esa de "DEJA-ENTRAR-A-JESÚS-EN-TU-CORAZÓN".

Sí.
Supongo que yo creo en un PERÍODO DE GRACIA...
... en el que a uno le garantizan un pase AUTOMÁTICO al cielo si uno no ha llegado a la edad en la que uno puede COMPRENDER el mensaje de Dios.

¿De verdad te CREES eso?

Bueno... sólo ESPECULO...

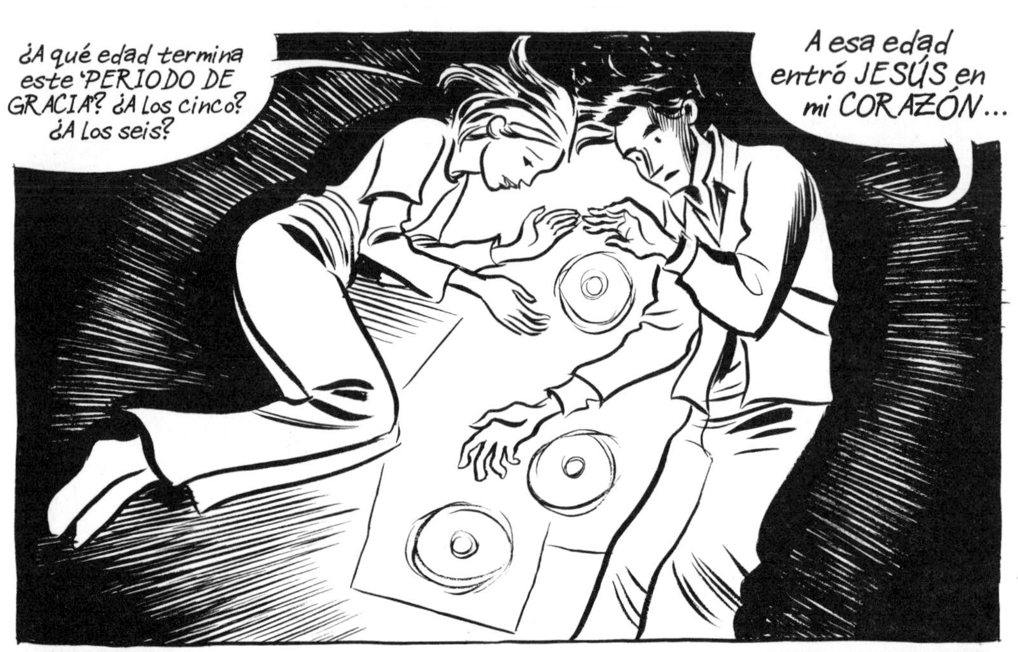
¿A qué edad termina este 'PERIODO DE GRACIA'? ¿A los cinco? ¿A los seis?
A esa edad entró JESÚS en mi CORAZÓN...

Sí, ¿pero qué hay de la gente que CRECE, pero que nunca llega a ese nivel de COMPRENSIÓN? Como Laura.

No han digerido su mordisco de la fruta del ÁRBOL del CONOCIMIENTO, por así decirlo.

De nuevo, me imagino que los impedidos mentalmente son una EXCEPCIÓN respecto a ciertas restricciones que se nos aplican al resto. Es JUSTO.

Supongo que es hora de dormir.

...

¿Eh? Oh, sí...
2:10

Oh, se te ve tan triste.
Ojalá el día nunca acabase.

Quizá podríamos PROLONGARLO un poco más...

Quiero que duermas conmigo.

Eh...
...¿qué?

En mi cama.

Pero...

¿Pero qué pasa con tu madre?

Pondremos la alarma TEMPRANO. Así podrás salir a hurtadillas hacia el CUARTO DE INVITADOS antes de que alguien se levante.

*N.T.: es una función que tienen ciertos despertadores, por la que al apretar un botón la alarma se para y vuelve a sonar al cabo de un tiempo. Para cuando a uno se le pegan las sábanas.

I CORINTIOS 6,18 Huid de la FORNICACIÓN. Todo pecado cometido por el hombre queda fuera del cuerpo; pero quien FORNICA, peca contra el propio cuerpo.
MATEO 5, 28 Más yo os digo que todo aquel que mira a una mujer con MAL DESEO...
... ya ha cometido con ella ADULTERIO en su corazón.
I SAN JUAN 2,15-16 No améis al mundo, ni lo que hay en él...
Porque todo lo que hay en el mundo, la CONCUPISCENCIA de la CARNE, la CONCUPISCENCIA de los OJOS y el ORGULLO de las RIQUEZAS, no provienen del PADRE, sino del MUNDO.
Si alguno AMA al MUNDO, el AMOR del PADRE no está en él...

PROVERBIOS 6, 27-28 ¿Puede uno meter fuego en su seno, sin que sus vestidos se QUEMEN?
¿Puede uno andar sobre BRASAS, sin que se le ABRASEN los pies?
Eh.
Bonito pijama.

CANTAR DELOS CANTARES 4, 7 y 9 Toda HERMOSA eres amada mía; no hay tacha alguna en ti. Me robaste el CORAZÓN, hermana mía, esposa; me robaste el CORAZÓN con una mirada de tus ojos.

Hum... gracias. Tu pijama también está BIEN.
gasp

Durmamos con la nueva manta.

Y la alarma está puesta a las...

BEEP
BEEP
BEEP
BEEP
BEEP
ALARM
AM/PM
6:00

De vuelta en la HABITACIÓN DE INVITADOS, susurré una oración de GRATITUD a Dios
Un SALMO, creo que se les llama.

Gracias Dios, por tu creación perfecta,
de piel tan suave y pálida como la luz de la luna,
en la que cambian de lugar los huesos bajo su piel y se enredan
para hundirse en las clavículas y erguirse a lo largo de las caderas.

Gracias por el RITMO de sus movimientos
cuando se acurruca y se estira
Por sus contornos, que como olas alrededor de las MANTAS chapotean.

Ella te pertenece
Ella es perfecta
un TEMPLO
en el cual el pelo, sobre
su frente se derrama

Abrazado a ella puedo oír la eternidad, espacios huecos y solitarios, corrientes que se agitan incesantemente.
Y la nieve caída da la bienvenida a la nieve que cae con un "SILENCIO" susurrado.

Quizá, pensé, en vez de
dar las gracias, debería
disculparme, rezar
pidiendo perdón.
Quizá debería sentirme culpable...

No.

Me siento tan limpio y
puro como la nieve.

NO THRU TRAFFIC

¿Frío? No hace frío...
...Sólo tienes que mantenerte en movimiento.

VI

Espíritu adolescente

¿Lo has sentido?
¿El qué?
Te he MEADO.

No, no lo has hecho. Eso era tu dedo.
No.
Eso era mi pito.
No, no lo era.
Te he echado una gotita de PIS.
Muy gracioso, no te creo.
lick
¡Eh! ¿Qué es eso?

¿Ves? Te he meado otra vez.
¡AAAARGH!
¡Yo también puedo jugar al mismo juego!

Si me has meado, entonces yo te puedo mear.
Pero si sólo era una BROMA. ¡Era mi dedo!
No seas tan MARIQUITA. Sólo te voy a echar una gotita.
¡Pero eso es IMPOSIBLE!
Si tú puedes hacerlo yo también.
¡Pero si yo FINGÍA! ¡Nadie puede MEAR sólo una GOTITA!
Bien, entonces esto es un EXPERIMENTO.
ECIÓN DE
URETER DERECHA
URACO
PERITONEO
TER IZQUIERDA
MUCOSA
TRÍGONO
ESFÍNTER URETRAL INTERNO
ORIFICIO URETRAL INTERNO
URETRA
PRÓSTATA
GUSH

SOB SOB SOB
Supongo que tenías razón.
SOB sniff SOB WHIMPER
Oh, Phil. Lo siento MUCHÍSIMO.
¡TE VOY A MEAR EN TODA LA CARA!
¡Escudo!

¡Está ATRAVESANDO la ALMOHADA!
¡AARGH! ¡Está toda caliente y huele!
¡PARA, idiota!
PEE
CLUNK!
ayayay

¡IDIOTA!
¡PARA YA!
No hasta que se me acabe la munición.
click
eh...

gotita
lo siento

Tuvimos suerte de que fuera MAMÁ la que subió aquella noche.

¡Sois unos guarros!

¡Unos guarros!

Nos obligó a ducharnos.

Esa fue la primera vez que nos duchamos.

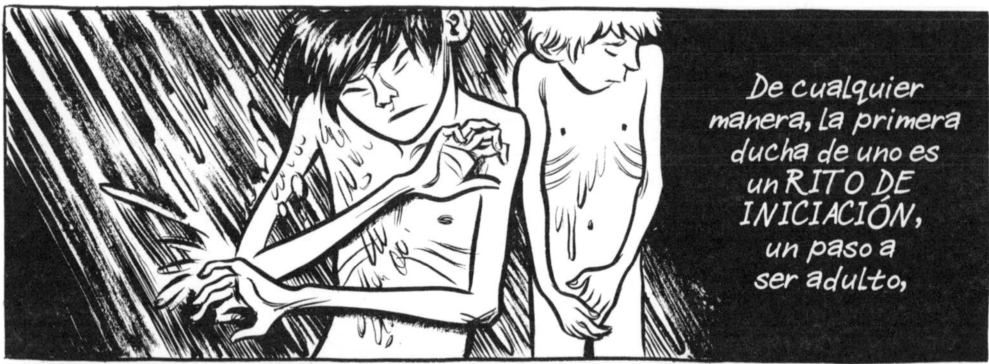
De cualquier manera, la primera ducha de uno es un RITO DE INICIACIÓN, un paso a ser adulto,

Sólo que, en este contexto, era más un BAUTISMO que cualquier otra cosa.

Un intento vano de limpiar nuestra VERGÜENZA.
¿Cómo podéis ser tan GUARROS?

Me froté y froté,

pero aun así podía sentir el PECADO en mi cuerpo.

No quieres estar aquí, ¿verdad?

Oh... no, es genial. De MARRCHA jeje
eh...

Sólo nos quedaremos un poco para que te pueda presentar a algunos de mis amigos.

¡Eh, RAINA! ¿Qué haces con las manos vacías?
Gracias, Rich.

¿Y tu amigo?
PSSSH
hum.... no...

No bebe.

¿No bebes? ¿Por qué?
NO QUIERO ESTAR AQUÍ.

Tenemos un barril en el sótano y está todo lleno de botellas.
¿Por qué quiere Raina PERDER tiempo en una fiesta cuando sólo estaré poco tiempo de visita?

BUMP
Eh, TÍO. Cuidado.

¿Por qué no podemos estar juntos a SOLAS, como esta mañana, cuando ella escribía y yo pintaba?

¿Estás SEGURA de esto?
¡SÍ!
TOOL
DINOSAUR JR.

Bueno, ¿qué quieres que pinte en concreto?
Lo que quieras.

¿Lo que quiera?
Sí. Si tú lo dibujas, me gustará.

¿Así que es MÁS importante para ti que yo lo dibuje, que CÓMO sea realmente?
Sí...
... y de todas formas dibujas muy bien.

Pero no se me ocurre nada.
Dutch
SKY BLUE
Algo se te ocurrirá. Yo escribiré... ambos estaremos trabajando.

¡Pero el TRABAJO sólo nos DISTRAE del hecho de estar juntos!

En presencia de mi MUSA, ya no NECESITABA dibujar.

¿Por qué preocuparse con trazos...
y pintura que lo pone todo perdido
... cuando OBSERVARLA era suficiente?

TAP

PIXIES
TOOL
FEMMES
The Little Prince
MIRO
DINOSAUR JR.
Ya la he fastidiado.

Pero si has hecho un PUNTO.

Sí, pero es un punto horrible. ¿Y si te estropeó la pared?
Craig, una pared en blanco es algo aburrido...
virgen...

Incluso un error es algo mejor que no hacer nada.

TAP
TAP
TAP
TAP
TAP

¿Y si yo acababa siendo un ERROR para ella?

Podía sentir
que una pared
nos separaba.
Podía sentir el
tiempo pasar.

chik

eeeeeeeeee

Me sentí
solo de
nuevo,
y entonces
utilicé esa
soledad como
motor.

Menudo árbol más MARAVILLOSO has pintado.
En las ramas estamos nosotros.

Aunque hace frío ahí fuera, se está calentito en este árbol.

Eso es porque aún no ha mudado todas sus HOJAS.
Eso son los POEMAS que he estado escribiendo.

PLUCK
En realidad estaba TRANSCRIBIENDO los poemas que había escrito a mano.

Llamaba a sus manuscritos originales "garabatos ilegibles", pero a mí me entristecía ver su escritura a mano (con esa seductora "I") sustituida por un fría tipografía (TODO EN MAYÚSCULAS, ADEMÁS).
... o quizá es que estos poemas están FECHADOS y escritos antes de conocernos...
y yo estoy un poco CELOSO.

Eres...
... es HERMOSO.

Gracias.

Son
eres
preciosos.

Sólo son POEMAS.

Yo...

Te quiero, Raina.

OH
...

CRAIG
...

DINOSAUR
JR

LEARNING CENTER
NG
ER

TAP TAP
TAP

SLAM

¿Dónde está?

ART THAT M

TEX
KEN

¡Ben!

Hola, chaval. Te lo debes de estar pasando muy bien hoy, porque llevas 25 minutos de más aquí. ¿Listo para marchar?

¿Qué te parece si cogemos unas hamburguesas antes de empezar a trabajar?

...

Eh, ése no es el camino hacia la salida.

clatter
clatter

Ben...
Me tratas como a un RETRASADO.
NO soy retrasado.

Lo sé, Ben.
¡MIERDA!

Vamos, Ben ...

MIERDA MIERDA MIERDA
Ben, sabes que nosotros no usamos ese tipo de lenguaje.

¡PUTA MIERDA!

No os podéis DIVORCIAR.

Oh, esto trata de lo que hablamos esta mañana.
¡DIVORCIO NO, PAPÁ!
¡MAMÁ Y TÚ ESTÁIS CASADOS!
Ben, lo sé...
¡DIVORCIO NO!
Lo dice...
¡¡LA BIBLIA!!
CLUNK

METAL
WOLVIE
BALLZ
THUNDER
¿1.500 ESTUDIANTES?
No son tantos...

Mi colegio apenas tiene 300...
Bueno, ahora estás en la GRAN CIUDAD, pueblerino.

¿Puedo coger mi mochila?
HYUCK POS CLARO, CIUDADANA.

LITERATURA. Tengo que entrar.
203

203

UMBRO

¿Dónde están los sombreros vaqueros? ¿Los chicos que llevan las botas del establo a la escuela? ¿Las chaquetas naranja fluorescente para ir a cazar? ¿Las greñas?
MARATHO
FORD
ON THE GAS AND KICKIN' ASS
case
203

No tenía ni idea de que esto del "GRUNGE" estuviera tan de MODA.
Me siento parte del REBAÑO.
Eh, venga...

... ¡Vámonos!

¡Me salí con la MÍA fácilmente!

¿Cómo te lo
¡Hola, Raina!

*N.T.: sala para el "relax" de los alumnos.

No lo entiendo.
Eres POPULAR.

BUMP
Eh, TÍO.
Cuidado.

¿Por qué no podemos estar juntos a SOLAS... como esta mañana, cuando ella escribía y yo pintaba?

NIRVANA

ay

¡VAMOS! Tienes que conocer a mi amigo.

Aquí está.
Vaya, ¡parecéis hermanos!

¿Estáis los dos, o sea, liados?

Si lo estu-viéramos, ¡sería INCESTO!

Parece que estamos cayendo en la rutina.

Nos metemos a hurtadillas en la cama juntos cada noche y ponemos la alarma, y nos sentimos tan cerca.
ALARM
AM/PM
6:00

Pero de día,

nos mantenemos a distancia.

Bajo el agua, somos víctimas que se ahogan, LUCHANDO por encima y por debajo del cuerpo de cada uno.

Pero en la SUPERFICIE, nos dejamos llevar por la marea, las CORRIENTES nos arrastran lo suficiente, de manera que vamos a la deriva en PARALELO, pero no JUNTOS.

ksshhhhhhhhh

Quizá sea una maldición por "vivir libidinosamente."
Quizá nos estemos UTILIZANDO mutuamente.

BEWARE: HIGH SCHOOLERS

He aquí un CONCEPTO que muchos de vosotros no habréis CONSIDERADO antes...

...las frágiles limitaciones TERRENALES ya no determinarán nuestras relaciones en el CIELO.
Y GO IS AN ESOME GOD
Veamos cuántos HERMANOS tenemos en esta habitación.
Jenny, Matthew, y Patty... los tres están en el instituto...
PETRA
...Y, por supuesto, Craig y Phil.
VISION STREET WEAR
En el CIELO, Craig y Phil no serán HERMANOS en el sentido en que nosotros entendemos.

...¡porque TODOS LOS HOMBRES serán hermanos y hermanas!

Del mismo modo, una pareja casada no permanecerá separada del resto como marido y mujer.
SQUEAK
Todos seremos iguales...
... esas ETIQUETAS DESAPARECERÁN.
ROCK
PETRA
RADICAL SAVIC
Y la SEPARACIÓN de los demás establecida por estas ETIQUETAS TERRENALES será ELIMINADA.
De hecho, OLVIDAREMOS totalmente nuestras vidas en la tierra, lazos familiares, cuadrillas, romances y disputas...
TIERRA | CIELO
CIE
DRY ERASE

¿De hecho cómo podríamos vivir por toda la ETERNIDAD con el RECUERDO del PECADO que cometimos en la TIERRA?
RADICAL
...
Lo siento, Dios.

¡Hasta luego, chicos!
Nos vemos.
Buenas noches.

¿Por qué me esperabas fuera? Hace FRÍO.
No sé. Como que el ambiente estaba cargado.

¿Conduzco yo?
No. Estoy bien.

¿Por qué dijiste que me amas, Craig?

Porque te amo.
Bueno,
Yo también te quiero,
pero... ¿pero qué se supone que significa eso?
¿Adónde nos lleva?
¿Acaso importa?
¡SÍ!
Importa.
Es que no es el momento. Te vas en unos días...

... es decir... apenas te conozco.

Y eso es...
O sea...

Eso es EMOCIONANTE.

Tenemos mucho que descubrir.

Supongo que lo que intento decir es que todo ACABA.
No... "ACABA" es un palabra muy suave...

... todo DEGENERA...
... DECAE...
... ¿así que por qué preocuparse siquiera de empezar?

...

No lo sé.

FORD

Esta canción me trae malos recuerdos.
La cambiaré.

¿Qué quieres escuchar?

Algo RUIDOSO.

Que la música nos LLEVE.

Necesito algo que me mantenga DESPIERTA.

VII

Como en el cielo

Ayúdame a dormir esta noche.

Eso es lo que me pidió el día que volvimos a la montaña.

Nubes de vaho se demoraban en sus labios agrietados.
VASELINE

Estaba nublado...
... hacía más frío que antes...
... demasiado frío como para estar todo el día en la nieve.

Las plantas y los árboles estaban CUBIERTOS con una capa helada que los hacía QUEBRADIZOS al tocar.
SNAP

Lo siento, árbol.

Aunque el tiempo no era lo único que había cambiado.

Cuando llegué por primera vez, estábamos llenos de inquietud y entusiasmo ...
... despiertos ante cualquier sensación.
Los días pasaban sin propósito alguno y se confundían unos con otros...
... ignorando cualquier otro mundo.

Pero me he ido dando cuenta cada vez más de ese otro mundo.
HAMBURGER
OPEN 24
GAS
BURGER
BUY·MART
USED

JANUARY 1994
... y cada momento estaba teñido con los recuerdos de mi vuelta a casa.

HAWAII
ISLANDS OF ALOHA
¡Mira estos panfletos!

Palmeras, playas...
¡GAH!

¡Laura, POR FAVOR! Estás en medio.

...bucear, arrecifes de coral...
...música en vivo, bebidas tropicales...

Echa un vistazo...

Dime que esto no es el Paraíso.

Raina, esperamos que puedas cuidar del bebé cuando nos vayamos.
Me encantará cuidar de Sarah.

¡¿Durante DIEZ DIAS?!
¿Qué hay de sus clases?
Es su último año, por amor de Dios.

No parecía importarte que no fuera mientras Craig ha estado aquí.

. . .

Si saco casi sobresaliente en todo, Papá. Estar con Sarah unos días no va a fastidiar eso.

Bueno, puedes salir del colegio antes por la tarde; si no, puedo sacar tiempo libre del trabajo.

No nos hace TANTA falta el dinero.

¡SÍ!
¡Nos vamos a Hawai!

Unas pequeñas vacaciones... Un pequeño descanso del trabajo y del bebé...
Y, por encima de todo, ¡NO tendremos este frío espantoso ni nieve!

Buenas noches, Laura.
PA

Te quiero mucho, pequeñaja.

smooch

KNOCK
KNOCK

¿Qué?
Hola, Ben.
Soy Papá.

Me voy ya.
Duerme bien... ¿vale?

...

Buenas noches, Ben.

clatter clatter

CLINK

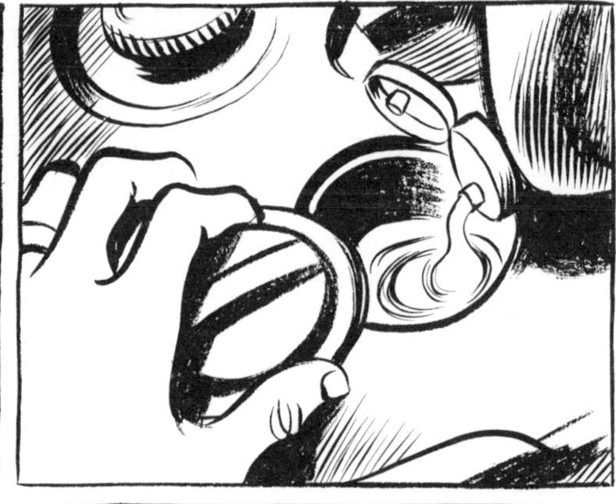

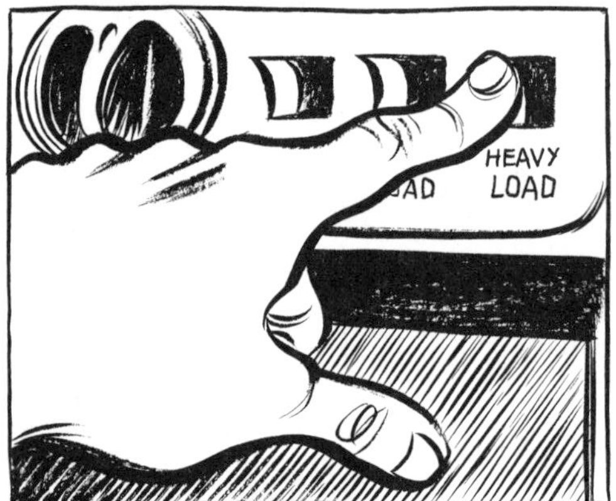
HEAVY LOAD

KNOCK KNOCK
¿Puedo entrar, chicos?
Claro, Papá.

Me voy ya.
Vale, te quiero, Papá.
Buenas noches.

HUM
HUM
HUM
HUM

HUM
HUM
HUM
HUM

RRRRRRRR
RRRRRRRRRR
GRRM
Brrrrr
¡Entra en calor!
¡Entra en calor ya!

Espera...
...oigo a un coche parando en la entrada.
RRRRRRRRR

RRRH

CHK

Debería mantener una distancia de "seguridad" respecto a ti.

Aquí...
... subidos en el árbol...
... balanceándonos entre las ramas.

Sabes, a veces me miras con nostalgia...
... aunque yo estoy aquí contigo.

Quizá me entristece...
DESEARTE.
No me siento muy cómodo con la idea de desear a alguien.
Es
...LIBIDINOSO.
Bueno, ¿qué da más miedo... ...la LUJURIA o la TENTACIÓN?
La LUJURIA: que me puedas desear en contra de mi voluntad...

... o la TENTACIÓN:
... ¿Como si me estuvieras esperando bajo el árbol del fruto prohibido?
Sí, sos-teniendo una man-zana.
Toma, dale un mordisco.
La TENTACIÓN sería...

...que yo te deseara A TI aún más.

SLAM

Pero yo no me creo esa historia de Adán y Eva.
¿Igual que lo del cielo?

Sí. Salvo que el Cielo es esperanza, y el Edén es un recuerdo.
¡HOLA, CHICOS! ¡HE LLEGADO!

Estoy realmente cansada, así que me voy a la cama. No os quedéis levantados hasta muy tarde, cariño.

Vale, Mamá. Buenas noches.

No me creo la historia del Edén, porque la mujer se lleva toda la culpa de la caída en desgracia de la humanidad.

Pero Adán y Eva fueron expulsados del paraíso JUNTOS.

Fue generoso por parte de Dios esperar a que AMBOS hubieran pecado antes de imponerles el castigo.

La PENA es siempre más fácil de sobrellevar si se tiene alguien con quien compartirla.

Oh, Jopé. Tengo un sarpullido
SPT
¿De qué estás hablando?

Aquí a lo largo de el nacimiento del pelo. Es que estoy estresada porque te vas.

¡Esto es SAGRADO!...

... ¡porque prueba que el resto de esta PERFECCIÓN no es meramente un sueño!

Sin los granos, no tendría prueba alguna de que existes en realidad.

¡No los beses!

¿Raina?
¿Pasa algo?

Sólo estoy tan cansada.
Exhausta y agotada.

¿Debería irme?
No...
... necesito que te quedes, Craig.
Me lo prometiste.

Pondremos la alarma.
No. Necesito que te quedes DE VERDAD...

... conmigo.

Quizá podríamos comprar una furgoneta y vivir en ella...
... y yo dibujaría y tú escribirías...
... y...
... y para comer podríamos...

No. No puedo marcharme.

Mi familia se está rompiendo en pedazos.

Si mis padres hubieran elegido un momento más conveniente para el divorcio...

... ¡por ejemplo antes de que hubiéramos nacido!

¿Hay algo que...?
Desde que estás aquí, todo es menos abrumador...
... hay menos soledad.

Así que después de volver a casa y acabar el insti...
...puedo trasladarme a Marquette y...

No vuelvas a casa, ¿vale?
DEJEMOS EL INSTI...
...así me puedes ayudar a cuidar de Sarah y Laura.

Por su tono de voz se veía que no iba en serio.
Ambos sabíamos que no había nada para nosotros aparte del momento.

Parecemos tan VIEJOS.
Siento como si te conociera de toda la vida.
Por favor, ven a la cama conmigo.

Así que cuando yo era un crío,
y mi hermano y yo compartíamos una cama,
Nos encantaba fingir que la cama era un barco,
y que el suelo era una extensión sin fin de océano...

Juntábamos todos nuestros animales de peluche.
... y utilizábamos una sábana como vela.
y luego venía la parte divertida...
¿Qué?

EN
UNA TORMENTA
EL MAR

De manera inevitable, una tormenta golpeaba y nos hacía un roto en nuestro barco.
ROMPÍA la proa,
HACÍA AÑICOS la cubierta de popa,
LANZANDO un pirata de peluche a su destino,
GSSSSH
y AL FIN dejábamos las cubiertas de nuestra cama en un estado de desorden.

Entonces reuníamos esas mantas arrugadas, salvábamos a los compañeros de tripulación que quedaban, y confeccionábamos un refugio a nuestro alrededor.
La tormenta persistía toda la noche con olas golpeando el bote y la lluvia cayendo a cántaros sobre nosotros,
Pero en aquel pequeño amasijo patético de mantas, uno se sentía cómodo.
CHSSSHHHHHHHHHHHHHHHHHH
Z

Esos eran unos de los pocos momentos en los que disfrutaba del hecho de compartir una cama con él.
Oh...
Bueno, cuando yo era pequeña...
...utilizaba la cama de mis padres (porque era muy grande) para celebrar un elaborado banquete.
Doblaba una manta bien y uniformemente...
COMO MESA...

*N.T.: una muñeca popular en los 80, que olía a postre, en este caso a fresa.

Desgraciadamente, ninguno de mis invitados eran animales de peluche.
Ben y Laura siempre aparecían; Julie siempre rechazaba la oferta.
Y en aquella época había un miembro más en la familia...
... y no te tomo el pelo...
... UN MONITO.
¡JA JA! ¡Como si tu casa no fuera ya un ZOO!
No. En serio. Era un MONO CAPUCHINO...
...y se llamaba "COPITO DE NIEVE".
¿Así que era BLANCO?

No, es sólo un bonito nombre que las niñas pequeñas escogen para sus mascotas.
Ben siempre era un invitado a la cena perfecto... disfrutando con educación de su comida.
Laura como que sólo sonreía y miraba.
Pero COPITO DE NIEVE nunca se quedaba quieto.

Se dedicaba a LANZAR
... robar...
Dámelo
BONK
... y FINALMENTE desmontaba toda la mesa.
YANK

¡JA JA!
¡Es genial!
¿Y esta noche qué va a ser?

¡La manera en que me hacía preguntas como ésa!

Sus labios pegados a los míos.
Atrapando uno al otro con la calidez de nuestra respiración.
Apenas rozándonos
Desviándonos
Y luego CONECTANDO

Intenté esconder mi erección, arqueando mi cuerpo, alejándome de ella,
Pero entonces apretó su torso hacia mí...
... aplastando fuertemente su estómago contra mi abdomen.
Enjambres de electrones nadaron adelante y atrás entre nuestros cuerpos como si estuvieran contenidos dentro de la misma jaula,

(y entonces
se liberaron)

Las mantas
se agitaron y
chapotearon...
... y el viento
rasgó nuestras
velas.

Ella me mordió...
...y su piel producía una paleta de SABORES:
a leche
a sal

a dulce
Mezclado con su pelo perfumado,
la vela que ardía, y un nuevo aroma...
que me resultaba extraño, que SURGÍA
de su cuerpo.

" Porque
por mucho
que bebáis
de este
cáliz..."

...nunca es suficiente.

Parece que estuvieras contemplando las estrellas.

Lo estoy.

¿Puedes ver a través del techo?
Puedo.

Y entonces me cantó.

*N.T.: la canción es JUST LIKE HEAVEN (Como en el Cielo) de The Cure. (escrita por Robert Smith) del álbum Kiss me Kiss me Kiss me.

... un susurro de cansancio mientras arrimaba su frente a mi hombro.

¿Craig?

¿Sí?

Por favor, nunca me abandones.

No lo haré.
Lo prometo.
Y después
Cayó
dormida

La estudié...

Consciente de que había sido creada por un ARTISTA DIVINO.

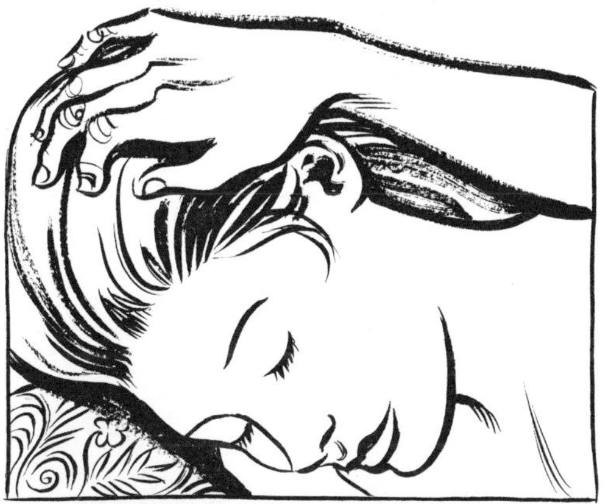

Y de manera reverente, cubrí su cuerpo con la manta acolchada que me había hecho.

Me di cuenta de que
no quería estar en
NINGÚN otro sitio.

Por una vez, estaba
MÁS QUE FELIZ
estando donde estaba.

Pero no podía dormir.

Así que escuché.

Escuché la respiración de Raina...
... y bajo aquello, a su corazón latir...

... y más allá de eso,
el gentil murmullo
de los espíritus en
la habitación.

Incluso creí que podía oír a la nieve caer ahí fuera.

Y los sonidos zigzagueaban a un ritmo de orquestación silenciosa... arrastrándome al sueño en una espiral.

DAISY CHAINSAW
SONIC YOUTH
NIRVANA

¿Ben?
Ben.
ay

Ben, asumo que no vas a ayudarme en la obra hoy.

Me parece bien que no quieras trabajar.
Te MERECES unas vacaciones por echar los cimientos el otro día bajo un FRÍO QUE PELABA,

Lo aprecio un montón.

¿Pero al menos podías HABLAR conmigo?

¿Laura ha llegado a la escuela bien?

Sí.

¿Qué hay de Raina y Craig? ¿Adónde han ido?
No lo sé.

¿Ya se habrán levantado?

KNOCK
KNOCK

¿Craig?

Debe de haberse ido. La cama de invitados está hecha.

¿Raina?
¿Craig?

PIXIES
DINOSAUR JR

...

. . .
STIRE

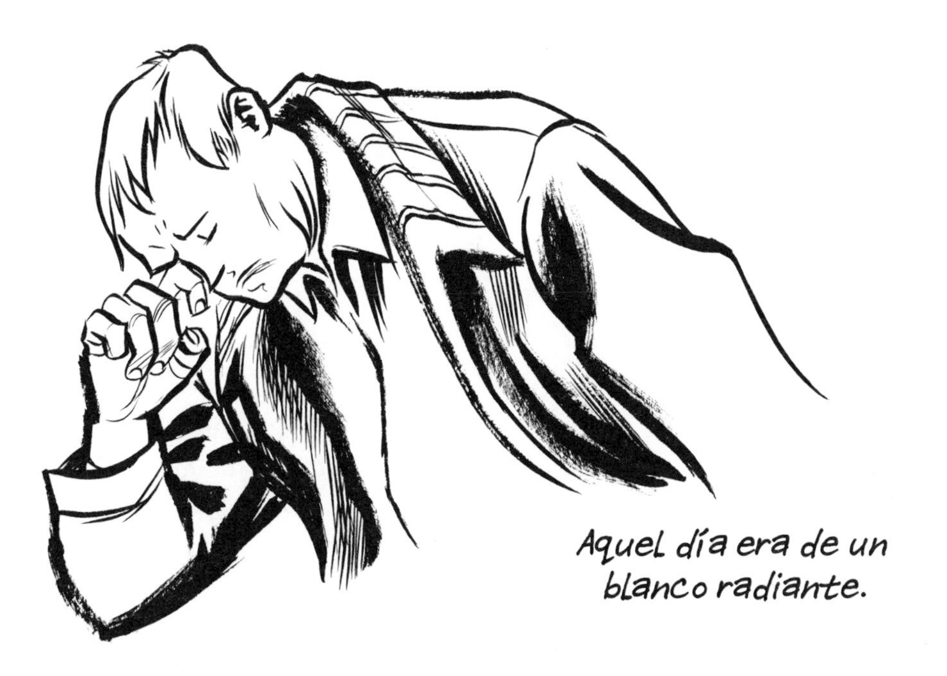
Aquel día era de un blanco radiante.

El cielo y la tierra se unieron,

Los árboles estiraron sus ramas desnudas,

La nieve cambió de forma...

... desapareciendo para revelar matas de brezo.

VIII

La cueva que desapareció

Un día, cuando mi hermano y yo volvíamos a casa del colegio ...
STOP
STOP

¡Papá ya está en casa!
¿Crees que estamos en un lío?

¡CHICOS!
Tenemos una sorpresa especial para vosotros.

¿Qué es?
Tenéis que ir arriba para verlo.

¿Puede ser un CASTIGO?
¿He PECADO ÚLTIMAMENTE?
¿Puede ser un JUGUETE?

Ya que os estáis haciendo mayores hemos decidido que ya era hora de que tuvierais...

...¡vuestras propias CAMAS!
¡GENIAL!

Hemos reformado el cuarto donde jugáis, Phil, para que puedas tener tu propio DORMITORIO.

Gracias, Mamá, Papá. ¡Me encanta!
ESPERA.
¿Por qué se queda él con la cama NUEVA...

... mientras yo tengo que utilizar la cama VIEJA toda manchada de ME-ADA de Phil?

Dime, Craig, ¿qué cama es MÁS GRANDE?

oh sí.

Puedo dar vuel-tas --
...¡TRES veces!

Podría acostumbrar-me a ESTO.

Aquella Noche

Oh.
Sólo preguntaba.

¿Cómo es tu nueva cama?

Es genial.

Qué bien.

Esta cama está bien y es espaciosa.

¿Y?

Quiero decir que hay mucho sitio.

...

No es DEMASIADO espaciosa, ¿verdad?

Z

A la Noche Siguiente

Y la Noche que Siguió a la Siguiente

¡Y tienen HAMBRE!
¡Tienes que SAL-VAR-ME!
CRUNCH
CRUN

¡Súbeme!
¡Deprisa!

Así que por "VÍA DE AGUA en el CASCO", no quie-res decir...
¡CLARO QUE NO! ¡Tú eres el que se mea en la cama!

Y en Invierno

Pero con el tiempo, crecimos; y buscar REFUGIO en la cama del otro se convirtió en algo totalmente imperdonable.
CRUNCH
CRUNCH
CRUNCH

Siempre hablas de tu hermano cuando erais pequeños...
¿Cómo es él ahora?
Bueno. Es... eh...

¿Qué edad tiene?
Esto tendrá ...
...hum, catorce.

¿Aún dibuja?
Eso creo... pero no estoy seguro.

Tiene su cuadrilla con la que sale.
La verdad es que no le veo mucho.
Pero espera ...

...después de
todo, VIVES
con él.

Lo sé
pero aun
así...

Ahora sólo
es un completo
EXTRAÑO
para mí.

Yo quería ser madre.
Hum... ¿Mamá?
Lo eres.
No, quiero decir que quería pasar más tiempo con mis hijos.
Choco
Tu padre no trabajó durante todos esos años, y yo tuve que llevar las riendas...
... y me PERDÍ todo ese tiempo con vosotros...
... mientras crecíais.

Mírate... Casi has acabado el instituto...
⫶tsk⫶
Lista para marchar...
Ahora que tu padre no vive aquí, al fin nos está ayudando en nuestras responsabilidades...
... Y para nuestra familia, eso es crucial.
Pero para nuestro matrimonio ...
... es demasiado tarde.

El último día que
estuvimos juntos, Raina
se puso enferma.

Aún estás aquí.
Pero me voy mañana.
Pero ahora mismo, aún estás aquí.
¡HRXXXP!

ele
ele

elè
Oh, Laura...
No me iré por
mucho tiempo.

Eso es.
Craig tendrá
que volver este
verano y ayu-
darme en la
construcción,
¿vale?
eeee

¡HRXXXP!

Eso si no
tienes nada
mejor que
hacer.

¡eee!
eee
Me temo que la he enfadado de verdad.

Venga, Laura, hay que dejar a Craig que recoja.
Ponte las botas que hay que ir al colegio.

Te veré PRONTO. ¿Vale, Laura?

¡Eh!
No me estarás haciendo TODA mi maleta, ¿verdad?
JAJA

Chicos, estad listos para marchar cuando vuelva, ¿vale?
Vale, Papá.

¡No me beses! Te lo pegaré.

Apenas hay sitio para que entre.
HRXXXP

click

Nadie habló mucho en el camino de vuelta al lugar donde habíamos quedado;

Ni siquiera Steve, quien quizá estaba preocupado con la PUERTA que se cerraba con el divorcio.

Para compensar la falta de conversación, Raina y yo señalábamos a las distracciones enmarcadas en las ventanas de la furgoneta.

LESS
SHOP

JESÚS ES EL ÚNICO
SEGURO ANTIINCENDIOS
"Porque tanto ha amado Dios al mundo, que le ha dado a su Hijo Unigénito, para que quien crea en Él no muera, sino que tenga vida eterna."
SAN JUAN 3, 16

Y luego por largo tiempo, nada captó nuestro interés.

Miller
UKEE, WI

Green Bay
De Pere
Menominee
Marinette
41
Food
Next
KOUNT
KITSCH

41 NORTH
Esc
Ma
DO NOT ENTER

MICHIGAN

KOUNTRY
KITSCHEN

En ese
momento, la
cháchara de
los padres era
prácticamente
insoportable...

... salvo por el hecho de que sirvió como pretexto para que Raina y yo intercambiáramos miradas un momento más.

¿Aún me puedes contagiar?
Sí.
Y además... nuestros padres están mirando.

Su cálida respiración danzó en mi oído.
gracias.

Y entonces se marchó.

KOUNTRY KITSCHEN
SLAM
KOUNTRY KITSCHEN
beep beep
KOUNTRY KITSCHEN

¿Estás seguro de que es sólo una amiga?

Bueno...
Bueno, ¿qué?

Es más que una amiga.

Si lo llego a saber, nunca te hubiera dejado estar ahí dos semanas.

Por eso no te lo dije.

Hola, Phil.
Hola.

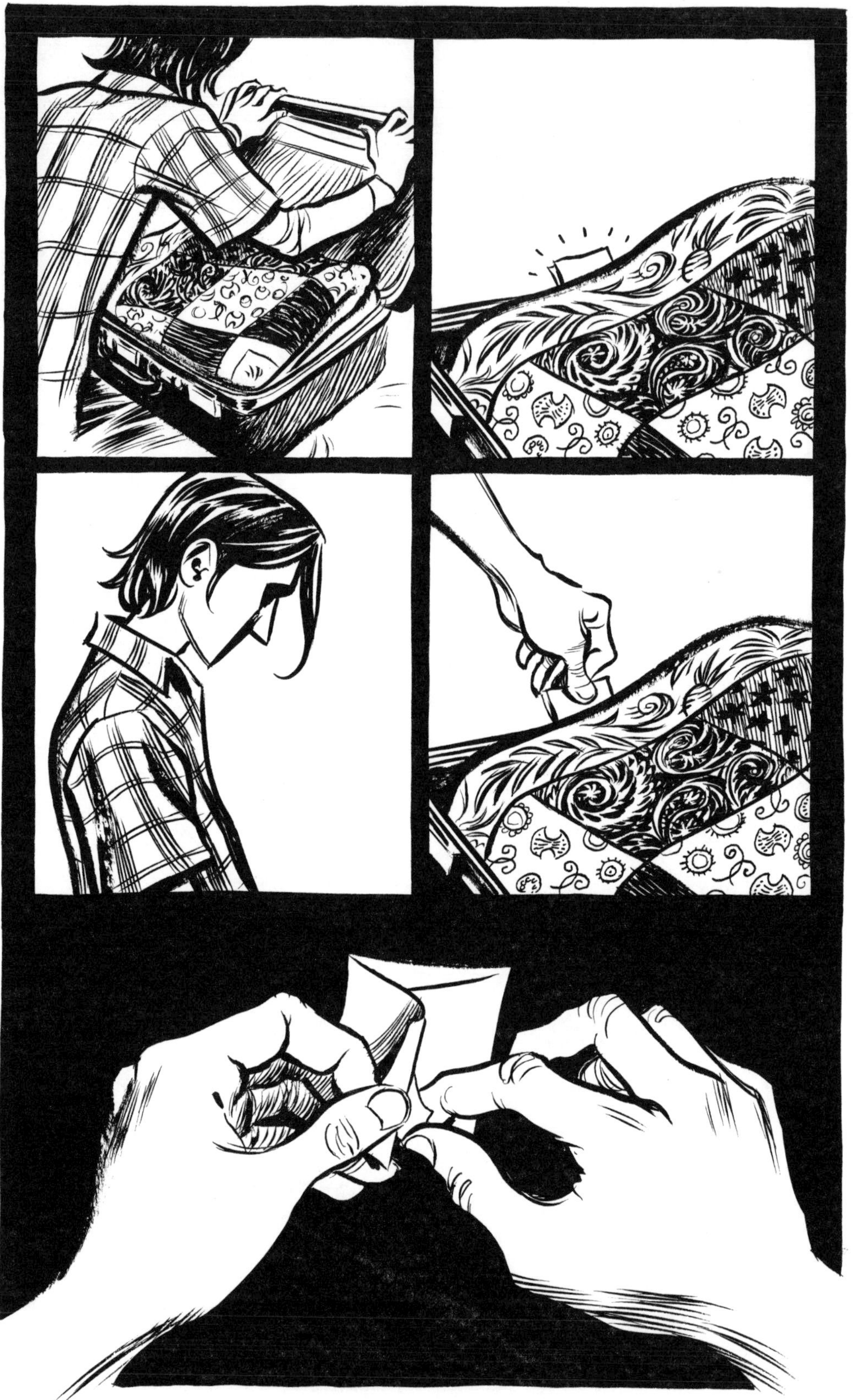

yo también
te quiero

Hola.
¿A qué estás jugando?
Creía que no te interesaban los videojuegos.
Bueno, normalmente no; pero éste, eh... parece que tiene unos gráficos excepcionales.
Ya.
JOLT
JOLT

¿Aún dibujas?
Sí.

Me encantaría ver lo que has estado dibujando.
¿De verdad?

FATAL HIT!

Últimamente me ha dado por los LAGARTOS.
Estupendo.
Y este tío...
Me parece que podría ir a nuestro colegio.
Hablando de eso, aquí tengo CARICATURAS de los profesores del insti.
¡JA JA! ¡Has CLAVADO al Sr. Vohm y a la Sra. Weller!

Y aquí tengo un cómic.
una visita del hada de las cejas.
oh la leche.
¡JA! Eres un genio.
¡Phil, PROMÉTEME que nunca dejarás de dibujar!
¡Eso no se me OCURRIRÍA ni por asomo!

Esa noche, más que cubrirme con ella, puse la manta a mi lado.

SÓCRATES PIDE A SU DISCÍPULO GLAUCÓN QUE SE IMAGINE A LOS SERES HUMANOS VIVIENDO EN UNA OSCURA CAVERNA.

Y QUE DESDE SU INFANCIA, LOS HOMBRES HAN SIDO PRISIONEROS...

... ATADOS POR EL CUELLO Y LOS PIES, MIRANDO UNA PARED, E INCAPACES DE GIRAR SUS CABEZAS.

DETRÁS DE ELLOS HAY UN SENDERO CON UN MURO QUE ATRAVIESAN PERSONAS QUE LLEVAN ESTATUAS DE ANIMALES Y HOMBRES...
... Y MÁS ALLÁ HAY UN FUEGO QUE ILUMINA LA CUEVA.

DESDE LA PERSPECTIVA DEL PRISIONERO, TODO LO QUE SE PUEDE VER SON LAS SOMBRAS DE ESAS ESTATUAS PROYECTADAS SOBRE LA PARED POR EL FUEGO;
... EN UNA ESPECIE DE SOMBRAS CHINAS SÓLO QUE LOS PRISIONEROS NO SON CONSCIENTES DE QUE LO QUE VEN SON SOMBRAS O ESTATUAS;

...CREEN QUE ESTÁN ESTUDIANDO LA REALIDAD.

¡Bonito pelo, Thompson! ¡JA JA!
CHEVY
FORD
¡Deberíamos ir de CAZA, Jerry!
BIG JOHNSON
No, voy a ayudar al PAPA a tocarles los güebos a los INDIOS esta noche.

Hola, chicos.
mmf
ALIEN WORKSHOP
SMITH
¿Qué tal el viaje ése?

Y SÓCRATES DESCRIBE QUE LA GENTE QUE LLEVA LAS ESTATUAS... ALGUNOS PERMANECEN CALLADOS,
ocrates
McLuha
OTROS HABLAN, PERO DEBIDO AL ECO, LOS PRISIONEROS SE IMAGINAN QUE LAS SOMBRAS HABLAN.

Oh, Raina. Te echo de mucho menos.

He estado llevando tu camisa varios días... también tus calcetines. Cada día huelen menos a ti.
Raina,
te NECESITO.

Craig, yo...
Te quiero, Raina.

Craig, la forma en que hablas me intimida.

SI UN PRISIONERO FUERA LIBERADO DE SUS CADENAS, Y SE LE PERMITIESE DARSE LA VUELTA E INSPECCIONAR LOS ALREDEDORES; ESO SUPONDRÍA TODO UN TERREMOTO PARA SU PERCEPCIÓN DEL MUNDO.
?
?
DE HECHO, PROBABLEMENTE CREERÍA QUE LO QUE SABÍA PREVIAMENTE FUERA LA VERDAD, Y QUE ESTO ERA UNA ESPECIE DE HEREJÍA.
¿Te vas a presentar a SELECTIVIDAD?

POCO O POCO, SE DA CUENTA DE LO QUE ÉL CREÍA QUE ERA ALGO HUMANO NO ES SINO LA SOMBRA DE LA ESTATUA DE UN HOMBRE.

Tengo tantas PRESIONES... con el divorcio, y cuidar de Sarah y Laura, y cruzo mis dedos para poder acabar el insti; y una relación a larga distancia es sólo una RESPONSABILIDAD más.

UN TERREMOTO AÚN MAYOR SERÍA SACAR AL PRISIONERO DE LA CAVERNA A PLENO SOL. EL EFECTO INICIAL SERÍA QUEDAR CEGADO.

EL PASO FINAL SERÍA PODER EXAMINAR EL CIELO DE DÍA...

... PARA MIRAR DIRECTAMENTE LA LUZ DEL SOL.

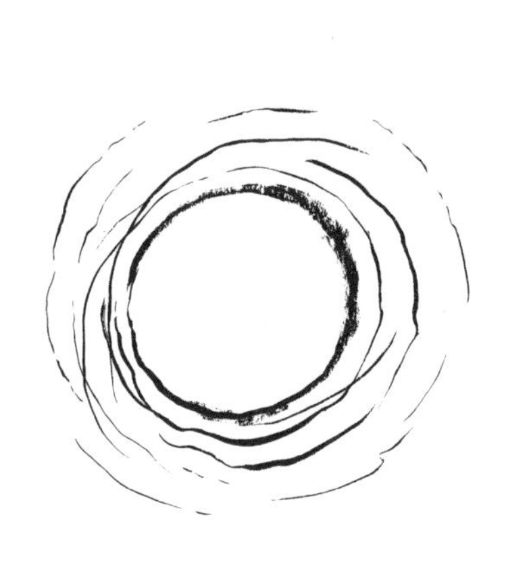
Y poco a poco
la nieve comenzó
a derretirse.

Primero,
deshizo las obras
de los niños;
Luego se retiró a los
cimientos de las granjas
y demás edificios.

Los hierbajos asomaban a través de la nieve que se retiraba.
Retales de blanco eran tragados en la cosecha de los campos.
Nuevas formas emergían.
Zonas del bosque se hicieron INACCESIBLES ahora que la nieve no ocultaba los hierbajos y el brezo.

Ya nada encaja.

ECLESIASTÉS 11
3 Cuando las nubes están llenas de lluvia, sobre la tierra la vierten.

y si un árbol cae al sur o al norte, el árbol queda en el lugar donde cae.

4 El que observa el viento, no sembrará;

y el que mira a las nubes no segará.

La nieve derretida
caía en torrentes
de los tejados...
... erosionando
zanjas a través de
caminos de grava...
... y se derramaba
de las cunetas
a la carretera.

Aún llevo mis botas de invierno en los paseos que doy después del colegio... No para andar sobre nieve en polvo...

... sino para PISAR FUERTE sobre tierra embarrada.

Lo que quedaba de la nieve era apenas nieve; más bien COSTRAS de HIELO,

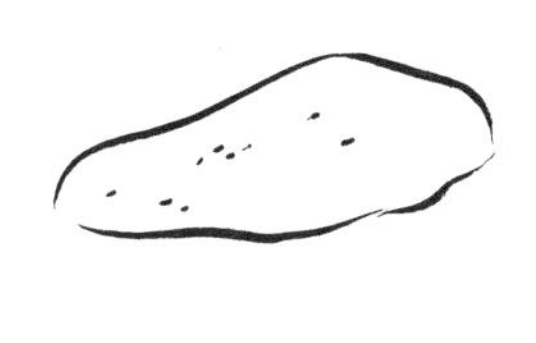

Deshielo (Thaw): **1.** Cambiar de estado sólido a líquido a través del calentamiento gradual. **2.** Calentarse lo suficiente como para que la nieve y el hielo se derritan. **3.** Hacerse menos reservado.

Eh, hola, ¿cómo te va?
¿Sí?
¿Qué tal el colegio?
1 2 3
4 5 6
7 8 9
* 0 #

¿No has ido?

Oh.

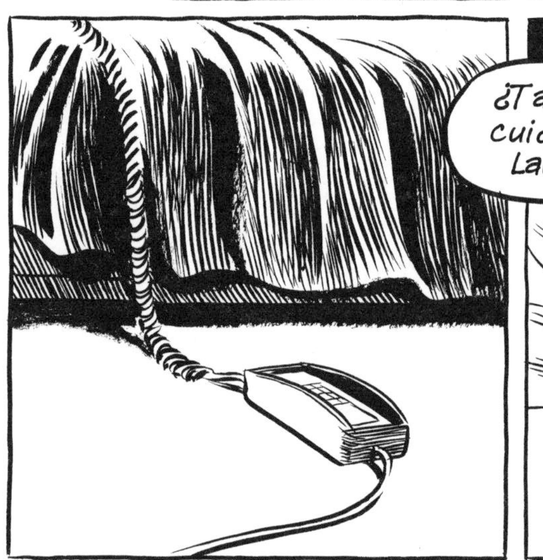

¿También cuidas de Laura?

Jo, ésa es mucha respon-sabilidad.

Bueno, pues buena suerte.

¿Qué?

Sí. Aquí también se ha derretido.

COMMUNITY BIBLE CHURCH

Craig, le aconsejo encarecidamente...

... le ADVIERTO de manera clara y meridiana que NO vaya a la facultad de Bellas Artes.

Mi hermano fue a Bellas Artes, y le hicieron dibujar "a partir de la vida real", ya sabe.
¿Eh?

Sí, ya sabe, tuvo que dibujar a GENTE, pero... esto...

... sin la ropa puesta.

Fue como lanzarse directamente a los brazos de la TENTACIÓN.
Enseguida, no tuvo suficiente con la gente DESNUDA, así que se hizo adicto a la PORNOGRAFIA...

Y entonces, eso tampoco fue suficiente... lo que le llevó...

... eh...

Lo siento.

SNIFF

lo que le llevó al siguiente paso lógico.
¿M-m matar a gente?

LA HOMOSEXUALIDAD.
Oh...
Qué tragedia.
HOLY BIBLE

Lo mismo sucede en una facultad normal.

En una de mis clases de arte,
un estudiante hizo una escultura de un torso femenino DESNUDO.
Cielos.

Y aún no he contado lo PEOR.
Lo peor fue que duran-te la exposición de su trabajo, procedió a toquetear y lamer los PEZONES de las escultura.
GIVE MONEY

gasp
TIENEN LA MENTE ENFERMA.

Tu única opción, Craig, es acudir a una FACULTAD CRISTIANA.
Ahí todos tus estudios están centrados alrededor de Cristo.
Luann 443-5555
De hecho, rechazan cualquier texto que se salga de la VERDAD de la Biblia.

Ten... tengo mucho que pensar.

¿Y qué ha sido de tu hermano desde entonces?
Oh, intento mantener las distancias.
No he hablado con él en diez años.

REZA por tu decisión, ¿vale, Craig?

No quiero DARLE ÁNIMOS, ¿sabe?

doot doot
doot
doot
doot doot

doot
doot

Ring

Ring

Ri---

¿Hola?

¿Raina?
¡Craig! ¡Me alegro de oírte!
¡Me acabo de enterar de que acabo el insti en tres semanas! ¡Lo he conseguido!
Eh... felicidades.
¡Gracias!
Raina...
¿Sí?
Raina, llamo para DESPEDIRME.

¿Despedirte?
¿Adónde vas?

...

No voy a ningún sitio.

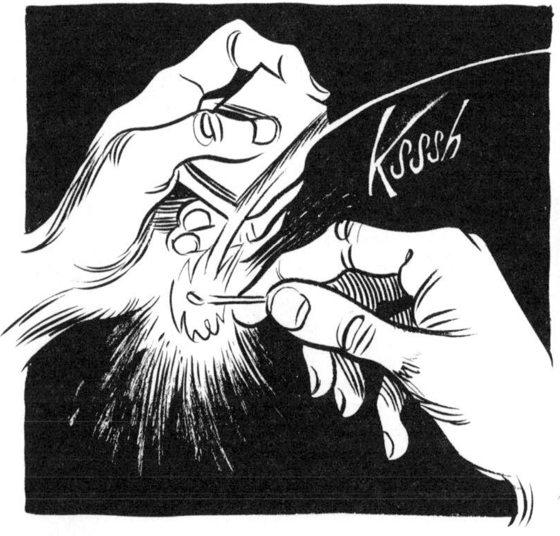
Ksssh

Todo lo que me había dado alguna vez Raina, lo quemé.

Pero no pude quemar la manta.

En vez de eso, la metí en una bolsa de plástico...
... y la guardé en el cuarto oscuro.

Dejé la casa de mis padres al
poco tiempo de cumplir veinte años.

Mi hermano se trasladó a mi habitación,
(porque era más grande)

Cuando él acabó el instituto,
volví a casa de visita...

...Y esta vez, paseamos juntos por entre los campos recién plantados.

No creo que pueda decirles jamás a Mamá y a Papá que ya no soy Cristiano.
¿Por miedo a que te DESHERE-DEN?

No. Seguirían amándome y rezando por mí...
...Mientras tanto, se asegura-rían de recordarme el buen trabajo que estaba haciendo al romperles el corazón.

Me los imagino en sus lechos de muerte,
ÚNICAMENTE preocupados por la SALVACIÓN de sus hijos.

Después de vivir todas sus vidas, pidiendo una única cosa...
... el CONSUELO de que nuestra familia se reunirá en el CIELO;
y eso no se lo puedo negar.
Pero tampoco puedo negar mi FALTA de FE.

Aún creo en Dios; incluso en las enseñanzas de JESÚS,
pero el resto del Cristianismo ...

... la Biblia, las iglesias, el dogma... sólo crean barreras entre las personas y las culturas.
WACK

Niega la belleza del SER HUMANO,
e ignora todos esos HUECOS que tienen que ser llenados por el individuo.

¿Así que tu plan es OCULTARLES a Papá y Mamá lo que crees?
No lo sé.

Algún día, quizá, cuando sea el momento.

¡Oye! ¿Recuerdas la CUEVA?
Sí...

Espera... ¿QUÉ?

ESA CUEVA que descubrimos de niños.
Sí.
Estaba por aquí, pero ...
pero ...

¡Era primavera y estábamos de exploración y descubrimos esa CUEVA GIGANTE!
Sí... esa cueva. Era increíble...
¿Pero era REAL?

¡Claro que lo era!
¿Te acuerdas de que entramos?
BMX

Había el sitio justo para estar de pie, salvo por las estalactitas... ¡y encontramos esa SALAMANDRA!

Estábamos tan emocionados que fuimos otra vez al día siguiente después de llegar a casa del colegio.

Sólo que esta vez era más una MADRIGUERA, como para zorros o algo así,

y podíamos arrastrarnos dentro de ella, pero definitivamente no podíamos andar DE PIE como antes.

Sí, sí... lo recuerdo.
Y al día siguiente, volvimos y encontramos sólo un agujero en el suelo. Nuestras piernas apenas se podían meter unos centímetros.
Y al día siguiente...

¡YA NO ESTABA!

Eso es.
No había NADA ahí. Sólo el campo.

Era primavera, cuando todo estaba embarrado y la tierra estaba cambiando de forma.
Sí.
La cueva se llenó probablemente de barro.
Así es como nos lo explicamos entonces.
Pero ese recuerdo parece tanto un sueño... demasiado sobrecogedor y bello y críptico para ser verdad.
Hace tiempo que lo catalogué como una creación de mi subconsciente.
No. Existió de verdad.
Yo estaba ahí.

Y eso me alivia...

... que alguien más estuviera ahí y experimentara lo mismo.

¿Cómo podría si no saber que fue REAL y no solamente un sueño?

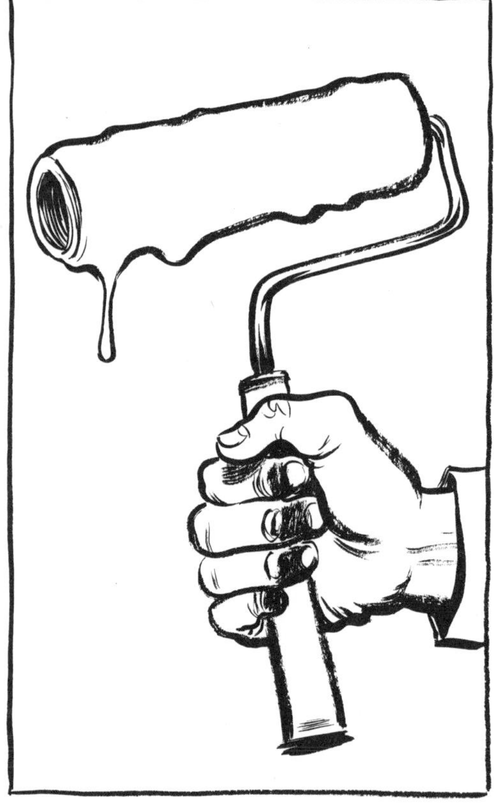

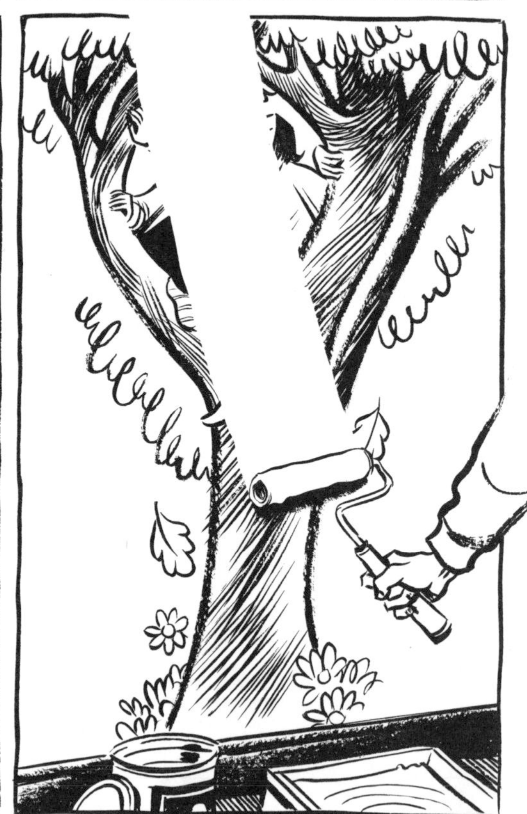

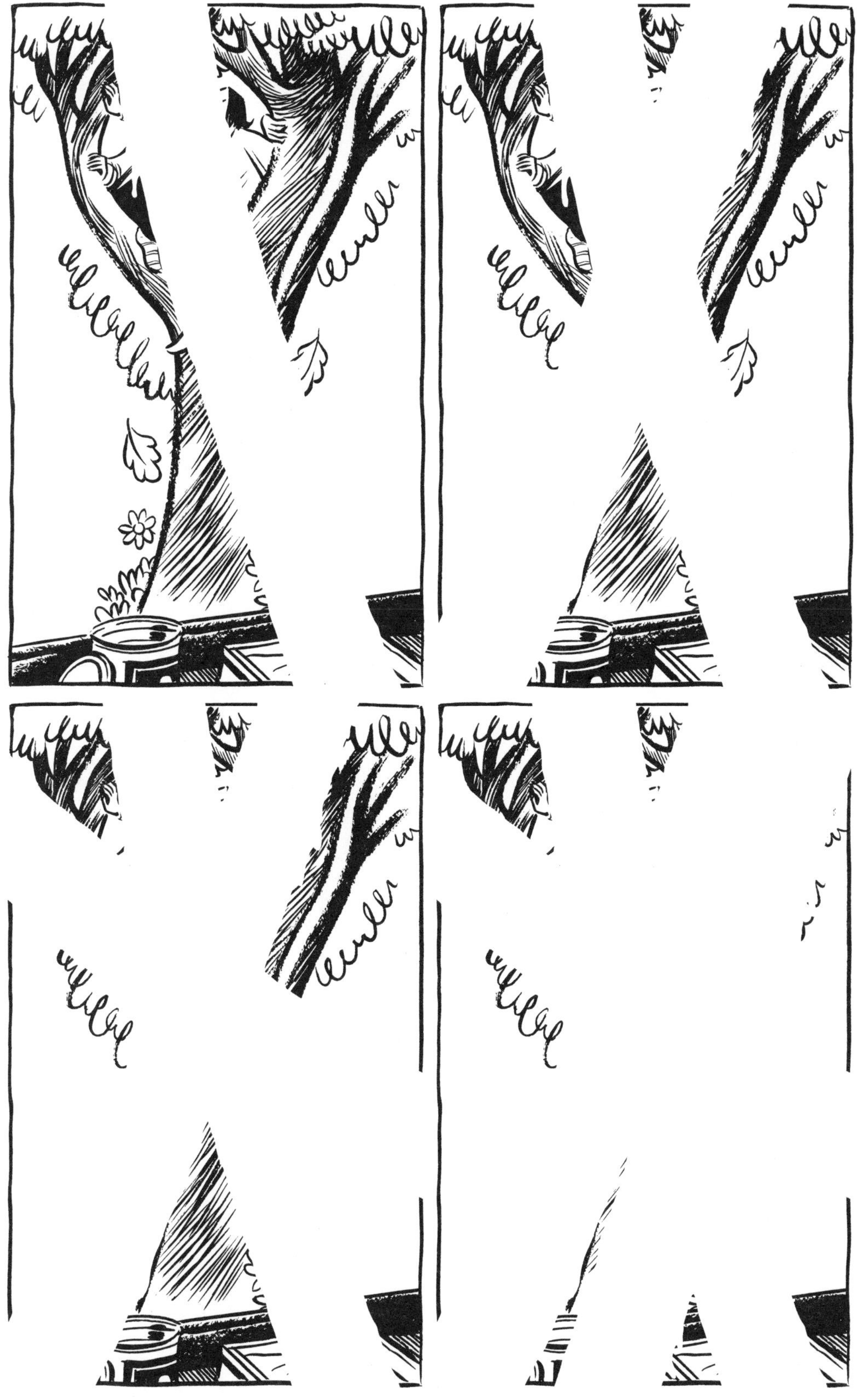

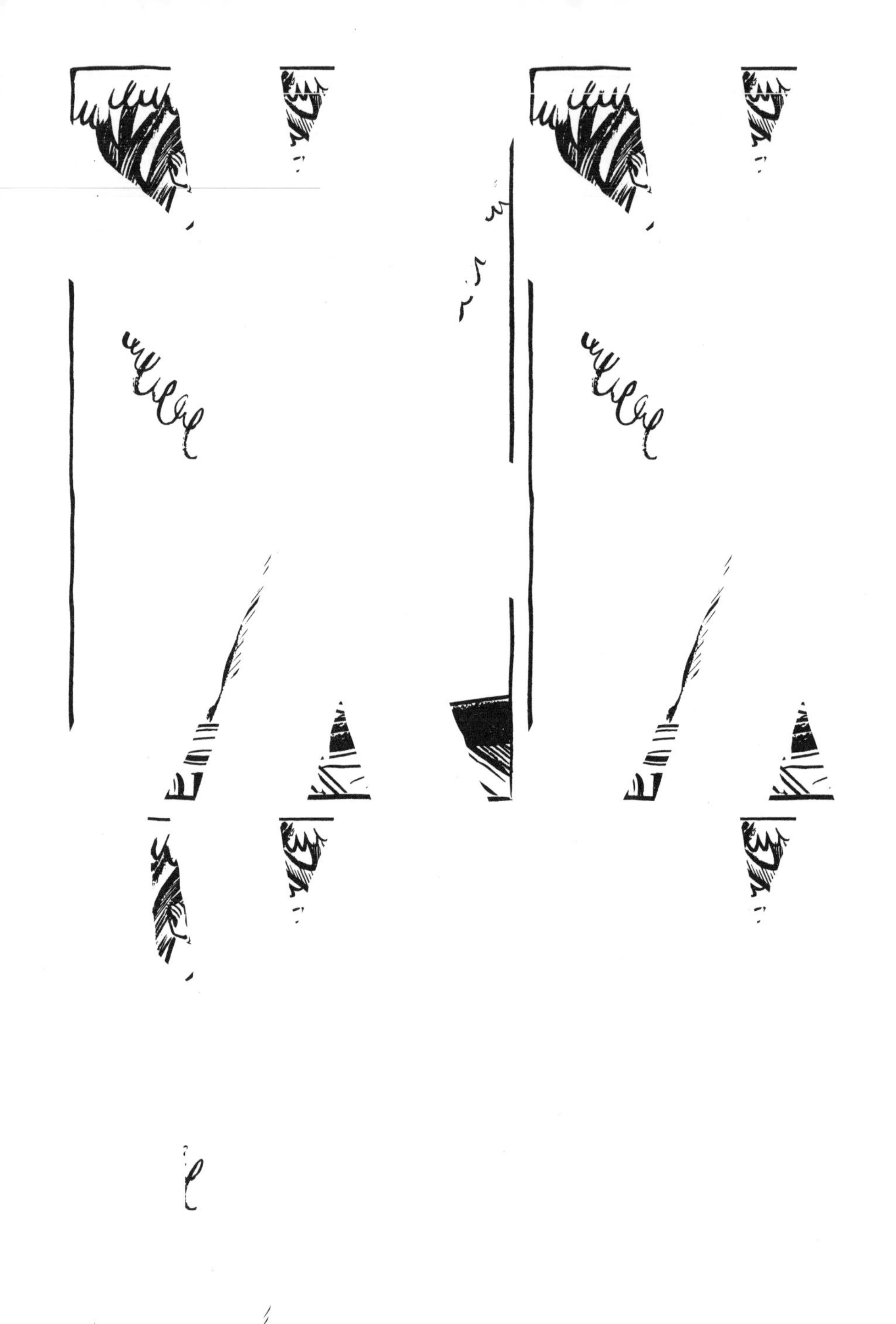

IX
Notas a pie de página

Cuando dejé la casa de mis padres, hice un esfuerzo consciente por dejar mi Biblia atrás.

Fue el libro de ECLESIASTÉS el que me llevó a actuar así.

En un glosario, descubrí que habían sido añadidos pasajes al ECLESIASTÉS para aligerar el tono pesimista.
POR EJEMPLO:

5,14 COMO SALIÓ DEL SENO DE SU MADRE, DESNUDO, ASÍ SE VOLVERÁ YÉNDOSE COMO VINO, DE SU TRABAJO NADA HA TOMADO QUE PUEDA LLEVAR CONSIGO.
5,18 IGUALMENTE, CUANDO DIOS DA A UN HOMBRE RIQUEZAS Y HACIENDA Y LE PERMITE DISFRUTAR DE ELLAS, TOMARSE SU PARTE Y GOZAR DE SU TRABAJO, ESO ES UN DON DE DIOS.

2, 22- 23 ENTONCES, ¿QUÉ PROVECHO QUEDA AL HOMBRE DE TODO SU TRABAJO Y DE LA FATIGA DE SU CORAZÓN, CON QUE SE AFANÓ BAJO EL SOL? ¿Y SUS DÍAS DE FATIGAS, Y LA PREOCUPACIÓN DE LOS NEGOCIOS, Y DE LAS NOCHES DE INSOMNIO? TAMBIÉN ESTO ES VANIDAD.
2, 24 NO HAY MÁS FELICIDAD PARA EL HOMBRE QUE COMER Y BEBER, Y GOZAR ÉL MISMO DEL BIENESTAR DE SU TRABAJO.
YAY!

¿Quizá las correcciones se hicieron para satisfacer a las masas?
COMMUNITY BIBLE CHURCH
Saqué a relucir la controversia con mi pastor.

¿No son mensaje contradictorios, como si distintos autores sintieran la necesidad de expresar sus diferentes opiniones?
No sé nada de eso, Craig. Un mismo autor puede tener cambios de humor.
Pero aparentemente el vocabulario Hebreo aparece aquí y allí, extraído de diferentes etapas de la historia de la lengua.
¡Jo Jo! ¡Alguien ha estado haciendo sus deberes!
Debes de saber que el buen Rey Salomón fue el autor de ECLESIASTÉS.

Pero la construcción de ciertas frases en Hebreo prueba que fueron escritas más de 600 años después de la época de Salomón.
Y, luego está el EPÍLOGO, que parece metido con calzador en las enseñanzas... Un sumario que extrañamente parece no tener nada que ver con lo anterior.
Craig, esto es por lo que pienso que eres ideal para ser pastor. En el seminario, uno puede debatir sobre estos detalles eternamente.

Francamente, puede que los escribas "añadieran" sus propios comentarios en el texto original a lo largo de los siglos de transcripciones,

Pero no dejes que eso desacredite la Palabra de Dios.

En vez de eso, reconoce esto como un proceso de crecimiento de la Biblia.

¿PROCESO DE CRECIMIENTO?
Eso no lo podía aceptar.
Me habían enseñado que las palabras de la Biblia venían directamente de la boca de Dios.
Si de verdad estaban modificadas de manera sutil por generaciones de escribas y suavizadas por las traducciones, entonces, para mí, la VERDAD se había acabado.
De repente me di cuenta que era absurdo que algo tan divino como el discurso de Dios pudiera ser atrapado en algo físico (y aún menos producido en masa).

Mi fe se derrumbó
tan fácilmente.

Escondí
mi Biblia...

... y me
trasladé a
la ciudad.

En mi primera visita a la biblioteca pública, era como un niño en una tienda de chucherías donde todas las golosinas fueran gratis.
¡Me dejan leer cualquier libro!
CONCISE

Me di un atracón hasta que me dolió el estómago.
... y aun así todavía estoy HAMBRIENTO.

BB
BAGEL BUNDLE

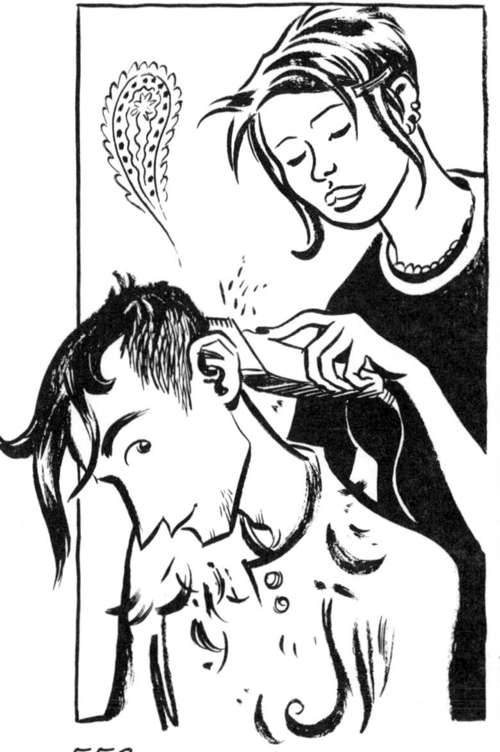

bagel
bruthas
BR

blin
SKATEB

CKING CO
FOOD
NO
BOM
THE
EN
IS
M
MILWA
XPRESS
DICK
CHIPS
CHIPS
72

Mi primera visita a casa fue cuando Phil acabó el insti...
... y más adelante para su boda unos años después.

Mi hermanito ahora era 15 cm más alto que yo.
¿Cómo es que todo el mundo menos yo parece seguir creciendo?

Su novia era una estudiante de geología...

... así que el banquete de boda se celebró en un museo público.

Esto muestra cómo calculan la edad de la tierra.
Oh, ¿datación por carbono?
No, el radiocarbono sólo funciona en los organismos que UNA VEZ estuvieron VIVOS.
¿En vez de eso hacen pruebas con ROCAS?
No, las rocas se rompen a lo largo del tiempo y "RENACEN", así que no se puede sacar una fecha exacta a partir de ellas.
Así que hacen pruebas con los viejos MINERALES que se encuentran en las rocas nuevas...

... y, EN REALIDAD, la estimación más aproximada de la edad de la tierra proviene de los METEORITOS ya que fueron formados en la misma fuente de materia en el Big Bang.

Hará unos 4.500 millones de años.
Meteoritos ...
Sí... bueno, según la Biblia la tierra tiene 6.000 años.

Todo el mundo bailó bajos los huesos de un plesiosaurio.
Mis padre parecían haber vuelto a su juventud.

Lo niños correteaban bajo las mesas del banquete e iniciaron unas sesiones de escondite.

Les seguí el juego, pero me dieron esquinazo en la sala de primates.

Mi tercera visita fue unas Navidades.
¡Estamos tan contentos de que hayas venido a celebrar el nacimiento de nuestro Salvador!

Era finales de Diciembre, y la nieve todavía no había caído... algo muy raro en el centro de Wisconsin.
Quizá sea el CALENTAMIENTO GLOBAL.
MILK
¡Bah! ¡Eso es PROPAGANDA LIBERAL, para que la gente se preocupe más por el estado del medio ambiente que por el estado de sus almas!

Mi hermano y su mujer llegaban en dos días, así que me entretuve visitando los lugares de mi infancia.

Es extraño lo INCÓMODO que me pueden hacer sentir estos sitios a pesar del tiempo y la distancia.

Nunca tendré que volver a vivir los recreos de tercero,
Entonces, ¿por qué me produce escalofríos?

tsk Sólo son niños jugando.

Del mismo modo, mis padres ya no pueden controlar mi hora de llegada o castigarme en la esquina, aun así me siento tan VULNERABLE con ellos.

Te queremos, Craig.
Estamos tan orgullosos de que seas nuestro hijo.
Yo también os quiero, Mamá, Papá.

Lo que más nos conforta en el mundo es que hayas dedicado tu vida a Jesús.
¿Has encontrado ya una iglesia?
¿Es que no ir en siete años no es suficiente respuesta?

Una vez que mis padres se fueron a la cama, me dediqué a explorar.

No podía recordar qué estaba buscando, pero lo sabría cuando lo encontrase.

Abrí una caja con libros y encontré mi Biblia enterrada en el fondo.

Nadie más se hubiera molestado en escarbar tan hondo.

Pasando las páginas, me maravillé ante las "O"s... pies de página haciendo referencia a vocabulario dudoso... adornando casi todas las páginas de la Biblia.

El Viejo Testamento estaba escrito en Hebreo, el Nuevo testamento en "Koiné" Griego. Ambos lenguajes crearon problemas en la traducción.

En Lucas, el evangelio que presta una particular atención a mujeres y niños, una bonita "O" se presentó.
San Lucas 17, 20-21
LA LLEGADA DEL REINO DE DIOS.
Interrogado por los fariseos sobre cómo llegaría el Reino de Dios, respondió: "No será espectacular la llegada del Reino de Dios. Ni se dirá: 'Helo aquí o allí', porque el Reino de Dios está DENTRO[1] de vosotros."
1 o ENTRE
¡Eh, Jesús!
Si eres tan especial, dinos cuando llegará el Reino de Dios.
No será ESPECTACULAR la llegada del Reino de Dios.
ni se dirá, 'HELO AQUÍ',
'O ALLÍ',...

... porque el Reino de Dios está DENTRO de y/o ENTRE vosotros.

Podía ver
a Raina haciendo
el edredón...
... seleccio-
nando el
tejido,
y recortando
cuadrados de un
trozo de tela
más grande.
Cada cuadrado
tenía una textura
diferente, un
sonido visual.
Y leído en se-
cuencia, como en
un cómic, contaban
una historia.

Y como estaban colocados formando un patrón, y se repetían, su historia era una historia cíclica.

Esa noche fue más fría que la anterior, y la manta extra - apretada contra mi cuerpo, era justo lo que necesitaba.

A veces, al despertarme,
el sueño que aún permanece puede ser más atractivo que la realidad,

THE LORD IS MY SHEPHERD
y uno rehúsa a abandonarlo.

Por un momento, te sientes como un fantasma...
... No materializado del todo, e incapaz de manipular tu entorno.
FLOUR
SALT

O también, es el sueño el que te persigue.
WWJD?
My Treasure is in Heaven
I am the WAY, the TRUTH and the LIFE
Jesus is the REASON for the SEASON
Esperas la promesa del próximo sueño.

Pero el acto
de despertar
depende del
recuerdo.
RBNSB

Utilizamos el
rito como medio
para recordar...
WONDER

... las vacaciones como un rito con significado...

... y las estaciones como marcas del paso del tiempo.

Voy a dar un paseo...
...para ver la nieve.

¿Quiere venir alguien conmigo?

Ya hemos tenido nuestra ración de nieve en Minnesota.
Sí.
Y ya habrá mucha más.
¡Abrígate!

Qué satisfacción produce dejar una marca en una superficie en blanco.

El dibujar un mapa de mis movimientos...

... sin que importe que no sea para siempre.

Agradecimientos:

Es zurdo

EL PADRE de mi amigo Shawn nos dio todo este papel de ordenador, (el torrente de caracteres con datos está por el otro lado)

A UNOS:
Melissa
Miriam
Pegi
Shannon
A OTROS:
Aaron, Becky, Evan,
Jeff, Jen, Katie, Kie,
Kirsten, Preston, Shawn,
Tina, T.C., y mis mento-
res... el Sr. C., el Sr.
Hancock, el Sr. Schutte

TAMBIÉN A:
Mi familia, Aaron, los Allred, Art Spiegelman, Benoît Peeters, Bob S., B. Bendis, Brett & Chris, Chris D. & Dave R., Dave C., Dan, Delilah, Diana S., Gordon Flagg, Greg Preston, John A. Jordan, Jules Feiffer, Kalah, Leela & Tom, Neil Gaiman, Peter Kuper, Richard, Susan, los fans de Chunky Rice, y todos mis amigos que con su generosidad cuidaron de mí en Francia.

Y obviamente, gracias a todos mis grande amigos de Portland, Oregon y Milwaukee, Wisconsin (y algunas otras ciudades, también).
Por el té y los paseos, los paseos en bici y el skateboard, ir en trineo, nadar en el río, toda la experiencia de GRACIE, por las rocas sobre las que saltar y por las cascadas en las que nadar, los paseos a la luz de luna, los paseos bajo una tormenta, las clases gratuitas de yoga, correr por el bosque, nadar en pelotas, bailar sobre todo desnudo bajo la lluvia, las fiestas pijama, la comida casera, y por los extraños que te pasan una botella de vino cuando estás temblando en una veranda helada con un amante.

Y AGRADECIMIENTOS MUY ESPECIALES PARA:
Susan & Colin
Sarah & Joy

OTRAS OBRAS
DEL AUTOR:
Adiós, Chunky Rice
(1999) www.topshelfcomix.com